KB213700

내 이름은 독도입니다

동북아역사재단
교양총서　30

내 이름은

독도

입니다

유동아 지음

동북아역사재단
NORTHEAST ASIAN HISTORY FOUNDATION

우리나라를 둘러싼 동북아 지역의 역사 갈등은 여전히 한창이고, 점차 심화되고 있습니다. 우리 동북아역사재단은 2006년에 동북아 지역의 역사 갈등을 미래 지향적으로 해결하고, 나아가 역내 평화체제를 구축하려는 목적으로 출범하였습니다. 이때는 항상 제기되고 있던 일본의 역사 왜곡에 더하여 고구려, 발해 역사를 둘러싸고 중국과 역사 분쟁이 일어났습니다.

한국과 일본 사이의 역사 문제는 19세기 말 일제의 침탈과 식민지배 때부터 있어 왔습니다. 지금도 일제의 식민지배에 대한 진정한 사죄와 일본군'위안부' 문제, 강제동원과 수탈, 독도영유권 등을 둘러싸고 논쟁과 외교 마찰이 일어나고 있습니다.

중국은 개혁·개방 이후 급속한 경제 발전을 이루면서 체제를 안정시키고 선린외교에 주력하였으나, 주변국과의 관계에서 주도권을 잡고자 하는 과정에서 자연스럽게 역사 문제를 둘러싸고 이웃과 대립하게 되었습니다. 그중 동북3성 지역의 역사에 대해서는 이른바 '동북공정'을 통하여 중국 영토 안에서 일어났던 역사를 모두 자기 역사 속에 편입하고자 함으로써 우리의 고대사고조선, 부여, 고구려, 발해 등와 충돌하게 되었습니다.

우리 재단은 이런 역사 현안을 우리 입장에서 연구하면서 다른 한편으로 우리 국민이나 다른 나라 사람들이 우리의 연구 결과를 같이 공유하고, 이를 쉽게 알 수 있도록 교양 수준의 책을 출간하게 되었습니다. 한·중·일 역사 현안인 독도, 동해 표기, 일본군'위안부', 일본역사교과서, 야스쿠니신사, 고조선, 고구려, 발해 및 동북공정 관련 주제로 우리 재단 연구위원을 중심으로 재단 외부 전문가 필진을 구성하였습니다.

모든 국민이 이 교양서들을 읽어 역사·영토 현안을 올바르게 인식하고 나아가 우리가 동북아 역사 갈등을 주도적으로 해결하여 평화체제를 이룩하는 데 주역이 되기를 바랍니다.

동북아역사재단
이사장

독도

독도의 여름

녹두의 기둥

독도의 겨울

나는 독도를 그냥 우리 땅 정도로만 인식하고 있던 그저 평범한 사람이었다. 10여 년 전 어느 날, 교양 프로그램과 다큐멘터리 PD였던 내게 〈3·1절 특집 다큐멘터리 독도〉를 제작할 PD를 찾는다며 연락이 왔다. 일반적인 다큐멘터리는 그 분야를 어느 정도 공부하고, 전문가들의 도움을 받으면 60분 분량을 제작할 수 있지만 〈3·1절 특집 다큐멘터리 독도〉는 결코 만만히 볼 수 없었다. 한일 관계와 역사 문제가 온전히 배어 있어 조금만 잘못 표현하거나 틀린 내용이 삽입된다면 엄청난 비난이 이어질 것이 분명했다.

하지만 호기심과 약간의 자만심이 복합적으로 작용하여 미팅 약속을 잡게 되었다. 그러다 막상 약속한 날이 다가오자 불안함에 마음은 더욱 초조해졌다.

　'나는 독도와 아무런 관련도 없고 잘 모르는데 가서 무슨 이야기를 하지…. 일단 만나 보지 뭐. 이야기하다 보면 답이 나오겠지.'

　걱정과 설렘으로 온몸을 가득 채운 나는 어느새 첫 미팅 자리에 앉아 있었다. 다큐멘터리를 의뢰한 동북아역사재단의 회의실에서 연구위원 두 분이 반갑게 맞아 주었다. 두 분은 내게 "독도를 어떻게 표현하고 싶으세요?"라며 첫 질문을 던졌다. 나는 독도에 대한 보잘것없는 지식을 바탕으로 이런저런 이야기를 두서없이 늘어놓으며 그냥 "잘 표현하겠다"라며 마무리했다. 그러자 두 분은 눈만 껌뻑이며 나를 빤히 보고만 있었다. 다시 생각해도 여간 부끄러운 일이 아닐 수 없다.

하지만 두서없는 내 이야기가 마음을 움직였는지 '나의 독도 이야기'는 첫발을 내딛게 되었다. 나중에 알게 되었지만 그분들이 만나본 여러 PD 중에서 그냥 '우리 땅인데 잘 촬영하고 잘 표현하면 되지 않겠느냐'라는 '초보 독도 PD'의 단순한 대답과 확고한 의지가 마음을 움직였다고 한다.

하여튼 이렇게 시작된 '독도 이야기'는 독도를 사랑하고 잘지켜 아이들에게 물려줘야 한다는 것을 알게 해준 계기가 되었다.

독도 다큐멘터리를 제작하면서 아쉬운 부분이 많았다. 그중에서도 가장 아쉬운 것은 독도가 우리 땅이라는 것은 국민 모두가 알고 있지만 '독도의 날'이 언제인지는 많은 이들이 모르고 있다는 점이다. HR테크 기업 인크루트가 '독도의 날'인 10월 25일을 맞아 '독도 방문 경험 및 관련 지식 수준'을 알아보기 위해 일반인 885명을 대상으로 설문조사를 했다. 그 결과 '독도의 날'을 정확히 알고 있는 응답자는 42.6%로 생각보다 적었고, 모른다고 답한 사람은 과반이 넘는 57.4%였다. '독도의 날'은 고종이 「대한제국 칙령 제41호」를 제정한 1900년 10월 25일을 기념한 것이라는 지정 이유에 대해 알고 있다는 응답자는 29.3%였다.

또 독도 방문 경험에 대해서는 응답자 10명 중 1명10.3%만 가봤다고 답했다. 10명 중 6명61.6%은 '아직 가보진 않았으나 수년 내로 꼭 가볼 예정'이라며 방문 의사를 밝혔다. 독도 방문 의

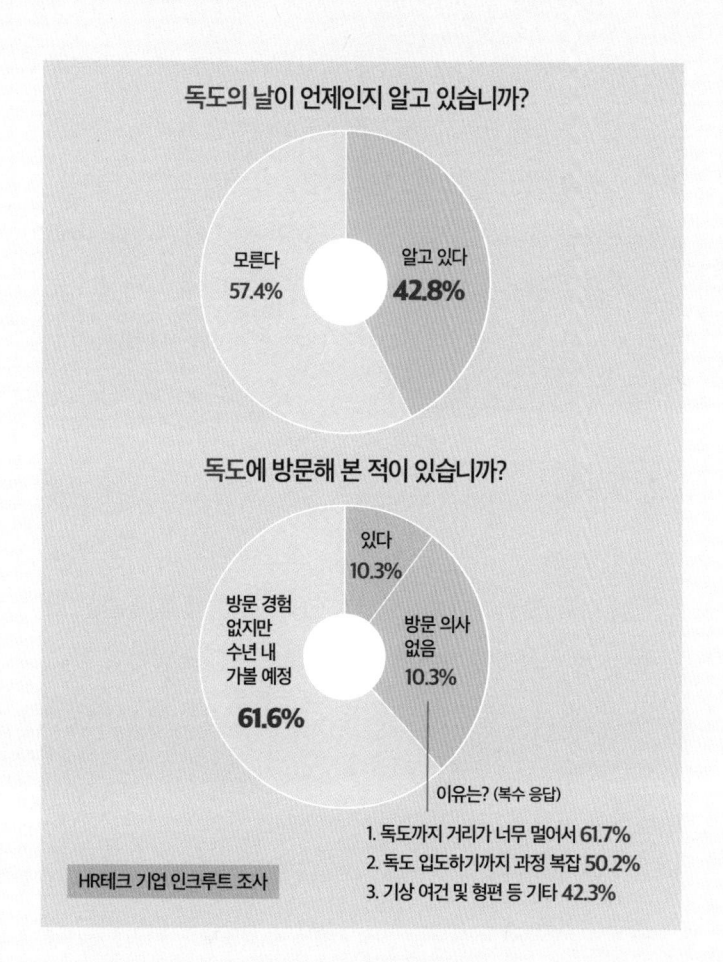

독도의 날이 언제인지 알고 있습니까?

모른다
57.4%

알고 있다
42.8%

독도에 방문해 본 적이 있습니까?

있다
10.3%

방문 경험
없지만
수년 내
가볼 예정
61.6%

방문 의사
없음
10.3%

이유는? (복수 응답)
1. 독도까지 거리가 너무 멀어서 61.7%
2. 독도 입도하기까지 과정 복잡 50.2%
3. 기상 여건 및 형편 등 기타 42.3%

HR테크 기업 인크루트 조사

사가 없는 28.1%의 응답자들에게 이유를 물었더니 '거리가 너무 멀어서61.7%'가 가장 많았고, 다음으로 '입도 사유, 신청서 작성 등 과정이 복잡해서50.2%'와 '기상 여건 및 형편에 따라 방문이 어렵다는 사실을 알고 있어서 42.3%' 등이 있었다.

수년간 독도를 알리고 우리 땅이라고 외치던 PD의 입장에서 보면 당황스러운 결과였다. 우리 국민들이 우리 땅 독도를 너무 멀리 있다고 생각하는 것은 아닌가 하는 의문이 생겼다. 우리 땅 독도를 누구든 쉽게 오가고, 언제든 만져볼 수 있는 곳으로 알리는 것이 내가 독도 다큐멘터리를 만들고 있는 이유다.

1. 첫 만남

독도 다큐멘터리 제작이 시작되었다. 촬영 계획 수립을 위해 여러 차례 회의를 하면서 독도에 대해 조금씩 알게 되었다. PD로서 한 첫 작업은 독도에 대한 자료 수집이었다. 촬영에 필요한 전체 구성과 촬영 대본을 만들기 위해 관련 도서와 인터넷상의 자료들 그리고 동북아역사재단의 도움을 받으며 차근차근 준비해 나갔다.

그러다 문득 궁금증이 강하게 일었다. 내가 첫 미팅에서 했던 말의 연장선이기도 했다. 독도가 대한민국의 영토라는 사실은 의심의 여지 없이 분명하다. 그런데 왜 우리 땅인지 정확히 설명할 수 있는 대한민국 국민은 과연 몇 명이나 될까? 나역시 우리 땅이라 알고 있고, 우리 땅이라 말하고 표현하지만

'왜?'라는 질문에 대해서는 딱히 뭐라 설명하기가 힘들었다. 독도 다큐멘터리를 제작하면서 '독도가 왜 우리 땅인가'라는 물음에 명확한 답을 갖지 못하고 제작에 뛰어든 내 모습이 한심하고 우스웠다. 독도가 어떻게 생겼는지, 독도가 어디 있는지 머릿속에는 있지만 말이나 글로 표현하라면 참 난감했다. 내가 표현하고 싶은 독도가 아름답게 반짝이는 모습인지, 질곡의 역사를 지나온 지쳐 있는 모습인지 분명히 정해야겠다는 생각이 먼저 들었다.

일본은 독도를 자기네 땅이라고 우기며, 분쟁지역으로 만들고자 끊임없이 시도하고 있다. 일본의 독도 영유권 주장은 20세기 초 제국주의 침략전쟁 과정에서 침탈했던 식민지 영토권 주장이다. 일본이 독도에 대해 억지 주장을 펼 때마다 한국인들은 일제의 한반도 침탈이라는 불행한 역사를 떠올리게 되고, 이는 한일 간 역사갈등으로 번지고 있다.

나는 몇십 년간 계속해서 이어지는 일본 정부와 우익단체들의 망언 그리고 이를 규탄하는 대한민국 국민에게 궁금한 부분을 인터뷰 형식으로 카메라에 담기 시작했다.

'일본이 자기 영토라 주장하는 것에 대해 어떻게 생각하십니까?', '왜 독도가 우리 땅인가요?', '독도에 대한 설명을 부탁드립니다'라는 질문을 이어 갔다.

대답은 내가 알고 있는 범주를 크게 벗어나지 않았다. 첫 번째 질문에 대한 대답은 '말이 안 되는 소리다', '우리 땅을 자신들 것이라 우기는 것이 정당하냐'며 화를 내고 분노했다. 이어 두 번째, 세 번째 질문을 하면 대부분 '울릉도 동남쪽 뱃길 따라 87K나이가 있으신 분들은 뱃길 따라 200리와 섬나라 우산국 신라 장군 이사부, 『세종실록』「지리지」 50페이지 셋째 줄…'을 읊는다. 틀린 말도 아니다. 가수 정광태의 〈독도는 우리 땅〉이 독도를 알리는 데 큰 역할을 했다.

하지만 우리는 독도에 대해 아는 것이 없다. '우리가 독도를 우리 땅이라 말하지만 그 이유를 설명하지 못하는 게 정상일까? 아니면 몰라도 되는 것일까? 독도에 대한 답은 여기서 끝나는 것인가? 다들 알고 있다고 해야 하나?' 궁금한 것들이 꼬리에 꼬리를 물었다.

그런데 PD라는 직업을 가진 이들에게는 몇 가지 특별한 병적 증상들이 있다. 그중 하나가 바로 '왜?'라는 질문을 끊임없이 해대는 것이다. '독도에 대해서 왜 알아야 하지? 꼭 알아야 할 필요가 있을까? 그게 나와 무슨 상관이지? 살아가는 데 특별한 영향을 주나? 그렇다면 제주도는 우리 땅인데 제주도가 왜 우리 땅인지 말하라고 하면 무슨 말을 하지?'

방송은 누구나 이해할 수 있어야 하기에 중학교 2학년 수준으로 만들어야 한다고 말한다. 하지만 너무 복잡한 국제관계와 이해관계가 얽혀 있어 쉽지 않다. 독도는 참 어렵다.

사람들에게 독도에 대해 질문하면 대부분 '독도는 우리 땅'이라고 답한다. 그런데 어린 학생들은 성인에 비해 독도에 대한 지식이나 내용의 이해가 높다. 독도에 어떤 식물들이 살고, 어떤 물고기나 새들이 사는지 줄줄이 이야기한다.

　독립기념관에 있는 독도학교에서 만난 아이들도 그랬다. 아이들에게 질문을 하면 '독도가 일본보다 우리나라에 더 가깝다, 울릉도 곁에 있는 대한민국 땅이다, 동해에 있는 우리나라 땅이다'라고 답한다. 독도 수업이 제법 효과가 있었던 듯 아이들의 호응도 열띠다. 독도는 상상하는 것보다 훨씬 더 재미있는 이야기를 품고 있다. 독도를 알아가는 것은 대한민국의 역사를 찾아가는 과정이기도 하다.

　독도학교 노지은 교사는 아이들과 독도에 대해 공부하면서 역사를 새롭게 배워 간다고 했다.

　"독도가 우리 땅이라고 막연하게 알고 있던 아이들도 독도에 대한 구체적인 내용을 함께 공부하고 실제로 우리 땅임을 확인합니다. 또 독도의 소중한 가치들과 자연생태를 학습합니다."

　독도 이야기를 하다 보면 화가 나고 우울해진다. 과거의 아픈 역사가 여전히 억누르고 있기 때문이다. 하지만 독도학교에서 만난 아이들에게서 독도는 즐겁고 재미있는 이야기가 있는 곳이고, 언제나 곁에 있는 친구라는 느낌을 받았다. 밝은 시각으로 독도를 즐겁게 바라보는 아이들을 보며 마음의 틀을

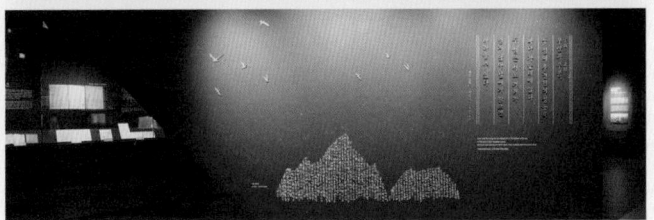

동북아역사재단 독도체험관 │ 2012년 설립되었으며, 2022년 영등포로 확장 이전하였다. 독도의 역사와 자연을 배우고, 체험하는 공간이다.

독립기념관 독도학교 │ 독립기념관은 2013년부터 '독립기념관 독도학교'를 운영하며 독도를 주제로 다양한 교육 프로그램을 진행하고 있다.

좀 더 넓혀야겠다고 다짐했다.

여러 단체에서 독도 교육과 자료를 만들어 어린 학생들에게 독도를 알리고 있다. 대표적으로 동북아역사재단의 독도체험관과 독립기념관의 독도학교에서는 우리의 미래인 학생들에게 독도의 역사와 소중한 가치를 재미있게 알려주고 있어 마음이 뿌듯하다.

2. 독도를 향하여

'조금만 더 그리고 한 발짝만 더 독도에 다가가 보자. 긍정적인 마음으로…' 제작진 모두는 이렇게 마음을 먹고 취재를 시작했다. '우선 독도에 가보고, 느껴보고, 그다음을 이어가자'라며 뜻을 모았다. 제작진 대부분은 독도는 물론, 울릉도에도 가본 적이 없었다. 총책임자인 PD로서 '최소한 울릉도와 독도를 느껴보고 계획을 잡아보자'라고 했지만 나 역시 처음이었다.

독도에 가려면 울릉도를 거쳐야 한다. 대한민국 국민이 갈수 있는 가장 빠르고 안전한 방법은 단 하나, 울릉도를 거쳐 독도로 가는 방법뿐이다. 지금은 야간 항해와 어지간한 풍랑도 거뜬히 견디는 2만 톤급 대형 크루즈 선박이 있지만, 10여 년전만 해도 몇 곳에서 낮에만 운항했다고 한다. 바람이 심하거

청룡호 | 어선보다 조금 큰 어선형 여객선으로, 1963년 5월부터 월 7회 정기 취항하여 울릉도 해상교통의 급진적인 발전을 가져왔다. 당시 울릉도와 포항시 간의 운항 소요시간은 10시간이었다.

동해호 | 1965년에 200톤급 철선인 '제1동해호'를 포항~울릉도 항로에 추가로 취항해 울릉도 주민들의 육지 왕래가 예전보다 나아졌다.

나 파도가 높으면 결항하는 일이 잦았고, 겨울에는 아예 운항하지 않았다.

1963년 350톤급 철선 청룡호와 1965년 200톤급 철선 제1동해호가 부산~포항~울릉도 항로에 취항했다. 여객선 취항 이후 울릉도 주민들의 육지 왕래는 예전보다 많이 나아졌지만 쉽지 않았다.

포항에서 출발해 울릉도에 도착하기까지 최소 12시간에서 최고 15시간까지 걸렸다. 당시 울릉도에는 변변한 접안시설도 없어서 승객들은 1977년 도동항이 완공되기 전까지 도동항 포구에서 다시 조그만 전마선^{무동력} 목선을 타야 했다. 지금도 날씨의 영향을 받는데 당시에는 수시로 결항했을 것이 보지 않아도 훤하다.

울릉도의 발전을 이야기할 때 빼놓을 수 없는 인물이 박정희 전 대통령이다. 울릉도는 1962년 국가재건최고회의 의장 및 대통령 권한대행으로 박정희가 방문한 이후 많은 변화를 맞았다. 그가 도착한 곳은 도동항이었다. 당시 도동항은 말이 항구지 방파제나 접안시설도 제대로 갖추지 못한 초라한 어촌에 불과했다. 박정희는 포항에서 해병대 상륙 훈련을 참관한 후 2,000톤급 병력 수송 호위함인 APD81함을 타고 울릉도 인근에 도착한 뒤 상륙용 보트로 갈아타고 도동항으로 이동했다. 하지만 풍랑이 거세지면서 접안에 어려움을 겪었다. 이

도동항 | 1977년 도동항 접안시설이 완공되자 울릉도 항로는 새로운 전환점을 맞게 된다.

과정에서 박정희가 보트에서 떨어져 바다에 빠지는 사태가 발생했다. 울릉도 도동의 울릉군수 관사에는 이에 관한 자세한 내용이 전시되어 있다.

박정희의 울릉도 방문 직후 수립된 울릉도 종합개발계획은 1963년 3월 8일 각의에서 의결돼 정부의 지원으로 본격적인 울릉도 개발이 시작됐다. 이 계획에는 울릉도 정기여객선 취항, 방파제와 접안시설 신설, 울릉도 일주도로 개설, 수력발전소 착공 등의 내용이 담겼다. 이 계획에 따라 어업 전진기지인 저동항과 울릉도의 관문인 도동항 개발을 필두로 7곳의 어항을 신설하는 공사가 시작됐다. 수산청·항만청·경상북도·울

울릉도를 시찰하는 박정희 의장 | 박정희의 울릉도 방문 직후 울릉도 종합개발계획이 이루어졌다.

군수관사 | 박정희 의장이 방문했던 울릉도의 옛 군수관사 모습을 볼 수 있다.

도동여객선부두 준공 | 1976년 3월 박정희 대통령이 "울릉도민의 내륙교통 편의를 도모하라"라고 지시하자 항만청이 5억 원의 예산을 투입, 1977년 5월에 완공되었다.

릉군 4개 관청에서 총 187억 7,650만 원의 경비를 투입해 울릉도의 면모를 일신하는 건설공사가 시작되었다.

1977년 도동항 접안시설이 완공되자 울릉도 항로는 새로운 전환점을 맞게 되었다. ㈜한일고속에서 1977년 7월 운항 시간을 6시간대로 줄이는, 당시로는 획기적인 여객선 '한일1호'808톤에 이어 1983년 '한일3호'504톤를 투입함으로써 포항~울릉도 항로는 일일생활권에 들게 되었다. 신문과 뉴스에 크게 보도될 정도로 특별한 사건이었다. 현재는 묵호항, 강릉항, 후포항,포항 2곳 등 여러 곳에서 출발하고 있으며, 2~3시간 남짓 걸리지만 더욱 편하게 가기 위해 공항까지 만든다고 한다. 나는 풍

한일 1호 | 1977년 7월 운항 시간을 6시간대로 줄이는, 당시로서는 획기적인 여객선 '한일1호'(808톤)을 투입한다. 이를 통해 포항~울릉 항로는 일일생활권에 접어들게 됐다.

랑이 일어도 멀미를 하지 않지만 최소 12시간 배를 타야 한다면 독도 다큐멘터리 제작을 바로 포기했을 것 같다.

　제작진 전체회의에서 독도를 첫 목적지로 결정했다. 울릉도를 거쳐 독도로 가는 배편과 시간 그리고 날짜를 확인해 보니 우리 생각과는 달리 쉽게 드나들 수 있는 곳이 아니었다. 독도는 보통 겨울을 제외하고 2월 말부터 11월 말까지 약 9개월간 여객선이 운행된다. 이 기간 독도 접안이 가능한 날은 약 150일. 괭이갈매기 번식기인 5~6월에는 하루 입도 횟수를 10회 이내로 제한한다. 또 날씨와 시기가 맞더라도 방파제가 없어 작은 파도에도 접안이 불가능해 1년 중 입도가 가능한 날은 고작 50일 정도다. 독도에 발 딛기 위해서는 하늘이 허락해야 한다는 말이 괜히 있는 것이 아니었다. 독도는 아무에게나 출입이 허락되지 않는 경이로운 섬이다.

역시 독도는 쉬운 곳이 아니었다. 우선 울릉도로 향하는 배편도 문제였지만 스태프가 묵어야 할 숙소도 쉽게 해결할 수가 없었다. 숙소 예약이 너무 힘들었다. 수개월 전 예약을 하지 않으면 방을 구할 수 없다고 했다. 무지한 PD 때문에 스태프와 노숙을 해야 할 판이었다. 그뿐만 아니라 독도 입도가 신고제로 바뀌어 일반인들은 독도행 여객선 승선표 구매 시 자동 입도 신고가 되는 줄 알았는데, 행사, 집회, 언론사 취재·촬영, 학술조사 목적에 의한 숙박 및 체류 등 특수한 목적의 경우에는 별도의 신청서를 작성하고 최소 7일전에 제출해 허가를 받아야 독도 입도가 가능했다. 그 사실을 울릉도와 독도를 취재하고자 날짜와 시간을 정한 후에 알게 되었다.

<관계 법령>

독도는 1982년 천연기념물 제336호명칭: 독도천연보호구역로 지정되어, 문화재보호법 제33조에 근거하여 공개를 제한해 왔으나 제한지역동도·서도 중 동도에 한해서 일반인의 출입이 가능하도록 공개제한을 해제2005.3.24. 정부방침 변경

여기서 또 초보 PD의 한계가 드러났다. 국가지정문화재 공개 제한지역 출입허가신청서, 독도 공개지역 입도 승인 신청서, 독도 입도 신청자 명단, 독도 행사 승인 신청서, 촬영 목적과 기획 의도 그리고 카메라 방향에 이르기까지 여러 서류를 제출한 뒤 허락을 받았다. 여러 가지 챙겨야 할 것이 많았다. 만약 위에서 말한 일로 독도를 가게 된다면 울릉군 홈페이지 내 독도관리사무소를 클릭한 후 입도 신청서류를 내려받아 작성, 제출하고 허가를 받기 바란다.

독도를 가기 위해서는 많은 노력이 필요하고, 많은 시간을 투자해야 한다. 독도 관광이 목적이더라도 입도하지 못하는 여러 경우가 있다. 기상 여건 및 형편에 따라 입도가 어려울 수도 있고, 일반 관람객의 경우 1회 470명으로 제한되며, 관람 구역은 동도 부두로 제한된다. 특히 4~6월은 괭이갈매기 등 바닷새 번식 기간으로 드론 사용이 제한된다.

당시 제작진은 울릉도와 독도에 가지 못할 상황이었다. 배편은 물론 독도 입도 허가방송 촬영용를 받지 못한 상황이어서 촬영 계획에 차질이 불가피했다. 제작팀 전체에 비상이 걸려 작가진, 연출진 그리고 동북아역사재단 연구위원들까지 모두 사방으로 뛰어다니며 겨우겨우 허락을 받아 독도 방문 준비를 진행할 수 있었다.

3. 설렘

독도 첫 방문과 다큐멘터리 촬영에 대한 설렘으로 제작진 모두 들떠 있었다. 그러나 독도는 내게 쉽게 문을 열어주지 않았다. 하필이면 출발일에 아침 생방송이 맞물려 팀과 떨어져 혼자 들어가야 하는 상황이 되었다. 더군다나 울릉도와 독도 주변 기상 상황도 좋지 않다는 예보까지 나왔다. 독도는 '삼대가 덕을 쌓아야 갈 수 있다'라고 하더니 시작부터 뭔가 시원하게 풀리는 일 없이 계속 꼬이기만 했다. 우리 집안의 조상들을 살짝 원망해 보기도 했다. 독도로 들어가는 조연출과 작가, 카메라맨 등 스태프에게 촬영 내용과 방향 그리고 여러 가지 당부의 말을 전했다. 나도 처음이라 많이 긴장한 탓에 잔소리가 많아졌다.

독도로 출발하기 전 날 〈SBS 모닝와이드〉 생방송 중계를 위해 전라북도 장수군으로 이동하여 출발 당일 새벽부터 연출과 방송 송출을 마치고 바로 강원도 동해시로 이동했다. 고대했던 시간이라 그랬을까 시간이 너무 더디게 흘렀다. 깊이 잠들지 못하고 밤새 뒤척였다. 그렇게 1박 후 묵호항에서 울릉도로 가는 첫 배에 몸을 실었다. 일부 제작진을 포함한 독도 탐방팀을 독도에서 만나기로 했다. 이들은 독도에서 4시간가량 머물면서 기본적인 촬영을 진행했다.

독도 괭이갈매기 | 1982년 11월 천연기념물로 지정되었다.

나는 울릉도에 도착한 후 낮 12시경 독도로 향했다. 하루에 이렇게 먼 거리와 긴 시간을 배에서 보낸 일은 단 한 번도 없었다. 지금은 좋은 배를 타고 울릉도와 독도를 갈 수 있지만 과거에는 정말 어렵고 힘든 여정이었을 것이다. 목숨을 걸고 영토를 지키기 위해 노력했던 선조들의 희생과 나라 사랑을 함께 알려야 한다는 책임을 새롭게 깨달았다.

독도 전경들 | 독도를 지키는 전투경찰들의 경례하는 모습이 인상적이다.

파도를 헤치며 달려가기를 1시간 20여 분, 멀리 독도가 보이기 시작했다. 가슴이 두근거리고 벅찼다. 다가갈수록 점점 선명해지는 독도의 웅장함과 아름다움이 시야를 자극했다. 독도에 접안하는 순간 우렁차게 울려 퍼진 전투경찰들의 경례 소리와 눈 앞에 펼쳐진 비경에 마음이 울컥했다. 독도에 첫 발을 내딛는 순간 '왜 이제 왔을까? 이렇게 가까이 있고, 이렇게 아름다운 우리 땅을 왜 모르고 있었을까?' 하는 후회와 미안함이 솟구쳤다. 괭이갈매기들의 울음소리는 마치 꾸짖는 것 같았고, 섬에 부딪히는 파도 소리는 할아버지의 호통으로 들렸다. 그 가슴 벅찬 순간의 기억은 아직도 생생하다. 지금도 그 때를 생각하면 가슴이 먹먹하다.

감동을 잠시 접어두고 내게 주어진 20여 분 남짓한 시간에 먼저 도착한 스태프들이 촬영한 내용을 급하게 정리하고, 담당 PD로서 내가 생각하고 회의에서 공유했던 독도의 모습 중 빠진 부분을 촬영했다. 사실 촬영하러 온 PD라기보다 처음 독도에 온 관광객 모습이었다. 카메라에 독도를 담는 것이 아니라 내 눈과 마음에 담았다는 표현이 더 맞다.

아쉬운 시간은 무심히 흘러갔다. 내가 타고 온 돌핀호 선장님이 촬영팀을 보고 선장의 권한으로 10분 정도의 시간을 더 주었다. 그러고는 바로 울릉도로 향하지 않고 독도를 크게 한 바퀴 돌아주셨다. 독도 전체를 볼 수 있는 기회였다. 함께 온 관광객들에게도 좋은 추억으로 남았을 것이다. 마지막으로 독도에서 멀어지는 배 위에서 독도를 촬영하는 것으로 독도와의 첫 만남 겸 첫 촬영을 마무리했다.

멀어지는 독도를 보자 아쉬운 마음만 가득했다. 독도에 도착해서 무엇을 했는지, 무엇을 보고, 무엇을 촬영했는지 기억나지 않는다. 단지 독도의 첫 모습에 벅찼던 감동만 남아 있다. 짧아서 더욱 아쉬운 첫 만남을 시작으로 지금은 매년 1회 이상 독도를 찾아가 영상을 담고 있다. 첫 만남 이후 나는 단 한 번도 독도에 발을 디디지 못한 적이 없다. 독도 입도 100%. 우리 조상님들께 다시 한번 감사 인사를 올린다.

독도에 처음 발을 디디며 받았던 감동을 떠올릴 때 문득 이

배에서 바라본 독도 | 짧아서 더욱 아쉬움이 남았던 독도의 풍경

런 생각이 들었다. '우리 땅인데 왜 이렇게 가는 방법이 복잡하고 힘들지? 꼭 동도 선착장에서 20여 분만 보고 가야 하나? 뭐가 문제지?'

처음 독도에 다녀온 후 생각은 더욱 많아지고 복잡해졌다. 나는 독도에 대해 다시 기본부터 확인하기 시작했다. 여러 자료를 찾아보고 해양수산부와 국토교통부 등에 문의했다.

독도는 화산섬으로 독특한 지형적·지질적 특성이 있고, 독도의 암석은 풍화작용이 심해 잘 부서지는 경향이 있으며, 독도의 독특한 지형적 특성으로 천연기념물 제336호 천연보호구역으로 관리하고 있으며, 1982년 11월 16일 독도 해조류_{바다제비·}

슴새·괭이갈매기 번식지로 천연기념물로 지정됐고, 1999년에 천연보호구역으로 명칭을 바꿔 동식물의 식생을 관리하고 있다. 이러한 점 때문에 그동안 행정 목적이나 학술연구 목적 외에 일반인은 허가를 받은 후에 입도할 수 있었으나, 2005년 3월 조례 개정을 통해 신고제가 되어 일정 범위에서 자유롭게 들어갈 수 있게 되었다.

독도의 특성은 이해하지만 20여 분의 탐방 시간은 탐방객들에게 너무나 짧다. 하지만 그 짧은 시간 때문에 독도가 주는 감동과 여운이 더욱 강하게 남는 것 같다. 그래서 더 잘 볼 수 있도록 많은 것을 담고, 더욱 잘 만들어야겠다는 강박이 생겼다. 내가 많은 것을 보고, 경험하고, 이해해야만 시청자들이 더욱 생생하게 독도를 이해할 수 있을 것이다. 대부분 처음 방문한 사람들, 특히 미디어 관련 일을 하는 사람들이 보이는 공통적인 특징이다.

2022년 기준으로 연간 28만 명 이상이 독도를 방문했다고 한다. 많은 국민이 독도를 찾는다는 것은 반가운 일이다. 독도가 우리 땅이라는 사실을 확실히 확인하고 돌아갔을 것이라 믿는다.

차례

I.
독도의 지리

눈으로 볼 수 있다는 것

독도는 바다 위에 솟아오른 산봉우리 같은 모습이지만 기원전 460~250만 년에 해저 2,000m에서 솟은 용암이 굳어지면서 태어났다. 크기 때문에 울릉도가 형, 독도가 동생이라고 생각하지만 사실 알고 보면 독도가 형님이다. 울릉도는 약 250만 년 전, 제주도는 약 120만 년 전 태어났다. 독도는 오래 전부터 울릉도와 함께 동해를 지키는 든든한 수문장이었고, 앞으로도 우리의 역사 속에서 의연히 책임을 다할 것이다.

독도는 동도와 서도 그리고 주변 부속 도서 89개로 구성되어 있다. 서도는 높이 168.5m, 둘레 2.6km, 면적 88,740m²이며, 동도는 높이 89.6m, 둘레 2.8km, 면적 73,297m²로 독도의 총면적은 187,554m²이다. 강원도 삼척 임원항에서 울릉도까

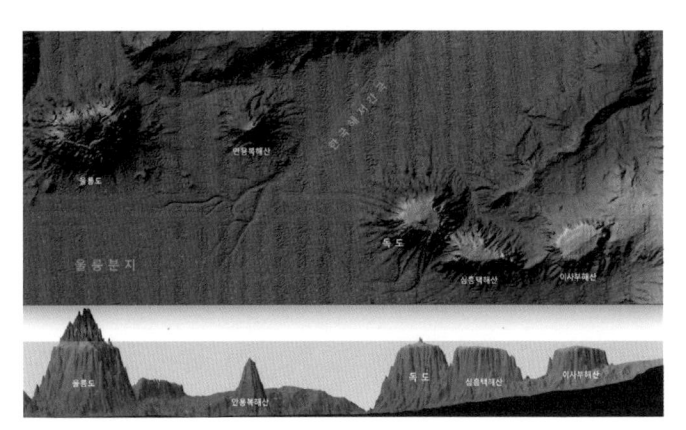

독도 해저지형도 │ 독도의 모습을 볼 수 있다. (한국해양과학기술원 제공)

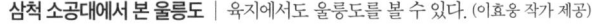

삼척 소공대에서 본 울릉도 │ 육지에서도 울릉도를 볼 수 있다. (이효웅 작가 제공)

지의 거리는 137km, 경북 울진 죽변항에서는 130.3km로 옛
기록에서는 울릉도가 직접 보인다고 하였는데, 실제로 육지에
서 울릉도를 볼 수 있으며, 울릉도에서는 독도를 볼 수 있다.

512년 신라의 이사부異斯夫 장군은 20대에 실직군주悉直軍主로 삼척에 부임하여 눈앞에 아른거리는 울릉도우산국를 보며 정벌에 나섰다. 울릉도에 관한 또 다른 기록은 고려 문신 이승휴李承休의 『동안거사문집動安居士文集』에 있다. 이승휴는 홀어머니를 뵈러 진주부당시 삼척에 갔다가 몽골의 침략으로 길이 막히자 요전산성寥田山城에서 진주부 백성들과 함께 싸웠다. 그때 이승휴는 현지 노인들의 말을 듣고 먼 바다에 무릉도가 보인다고 기록했다.

"계축년 가을에 몽골의 난리를 피하면서 진주부 요전산성에 모여 수비했다. 성 동남쪽은 바다가 하늘에 닿아 사방이 끝없이 펼쳐졌다. 그 속에 산이 하나 있는데 구름, 안개, 파도 속에 떴다가, 가라앉았다가, 나타났다가, 사라졌다가 했다. 아침저녁에 더욱 아름다웠는데, 마치 무슨 일을 하는 것 같았다. 노인들이 무릉도武陵島라 했다."

무릉도는 울릉도의 다른 이름이다. 930년고려 태조 13에 울릉도에서 토산물을 바쳐 벼슬을 내렸다는 기록이 있다.

울릉도와 독도의 거리는 87.4km로 울릉도에서 독도를 눈으로 직접 볼 수 있다. 물론 독도에서도 울릉도는 더욱 크고 선명하게 보인다.

울릉도에서 본 독도 | 울릉도에서 독도를 눈으로 직접 볼 수 있다.

울릉도 주민들은 저 멀리서 아른거리는 독도에 대해 저마다 감상을 쏟아냈다.

"가깝게 느껴질 때가 많죠. 이제 가을이 되면 독도가 보여요. 그게 바로 옆에 있는 섬 같잖아요. 안 보일 때는 몰라도 보이니까 주민들도 멀다고 생각은 안 합니다. 우리 마당 안에 있는 것처럼 생각합니다. 1년에 몇 번씩 봅니다. 해 뜰 때는 태양이 독도 뒤에서 뜨거든요. 그러니까 더 선명하게 보이죠. 잘 보입니다."

"육지 사람들에게는 독도가 참 멀리 있고 가기 쉽지 않은 곳이지만 울릉도 주민들이야 늘 보이는 곳이니까 아주 가까운 섬, 울릉도 사람들에게는 딱히 '독도는 우리 땅'이라는 말 자체가 이해가 안 가죠. 당연히 울릉도 사람들의 텃밭이기 때문에 전혀 다른 생각을 할 수 없는 그런 곳이죠."

울릉도에 터를 잡고 사는 누구에게 물어도 대답은 비슷하다.

'울릉도에서 독도가 육안으로 보인다'라는 의미는 무엇일까? 울릉도에서 독도를 육안으로 볼 수 있다는 사실은 독도가 울릉도의 부속 섬이라는 의미이다. 과거부터 현재까지 울릉도에 사는 누구라도 고개를 들어 독도를 보았고, 그 존재를 알고 있었다.

이러한 사실은 역사 문헌 해석에서 독도가 우리 영토임을 뒷받침할 논거가 되기에 충분하다. 일본은 '울릉도에서 독도

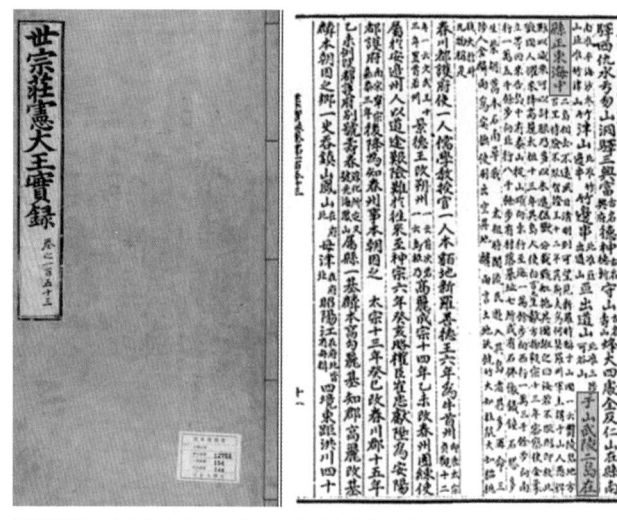

『세종실록』「지리지」 | 울릉도와 독도에 관한 기사가 나온다.

가 보이지 않는다'라고 주장하지만, 『세종실록』「지리지」에는
에는 울릉도와 독도의 관계에 관한 기사가 전한다.

"우산과 무릉, 두 개의 섬이 현울진현의 정동쪽 바다 가운데
있다. 두 섬의 거리가 서로 멀지 않아 날씨가 청명하면 가히 바
라볼 수 있다. 신라 시대에는 우산국이라 불렀다于山·武陵二島
在縣正東海中 二島相距不遠 風日淸明 則可望見 新羅時 稱于山國."

문헌을 보면 우산도와 울릉도를 구분하고 있는데, 우산도

는 바로 독도다. 하지만 일본은 울릉도의 옛 명칭이 우산이고, 대한민국 옛 영토 중 동해에 있는 섬은 울릉도 하나라고 주장한다.

우리의 옛 문헌은 우산국을 울릉도와 독도 2개 섬으로 파악하고 있었다. 그리고 울릉도 주민들이 독도를 인식하고 있었다는 걸 보여주는 역사적 자료뿐만 아니라 최근 여러 연구에서 울릉도에서 독도를 직접 보았다는 증거와 사진들이 많이 나오고 있다. 나 역시도 육안으로 독도를 마주한 적이 있다. 눈으로 직접 본다는 것은 중요한 증거이다. 지금처럼 항해술과 장비가 발달하지 않았던 옛날에는 눈에 보이지 않으면 갈 생각을 안 했을 것이고, 그런 섬이 있다는 것 자체를 몰랐을 것이다.

일본에서는 풍랑을 만나 표류하다가 독도를 마주했을 수 있다.

우리나라 동해안에서는 가을철에 함경도에서 북서풍을 타고 남동쪽으로 항해하거나 강원도 쪽으로 이동하여 서풍을 타고 동쪽으로 이동하였고, 귀항할 때는 남동풍이나 동풍을 타고 서쪽으로 이동한다. 남쪽의 경상도와 전라도에서는 봄·여름철에 남동풍을 이용하여 북동쪽으로 항해하고, 가을철에는 북서풍을 타고 남쪽으로 이동한다. 센바람이나 태풍을 만나 멀리 이동하여 해류를 타게 되면 동해상에서 일본, 러시아까지 갈 수 있다.

울릉도 근해에서 표류하면 쿠로시오 해류의 영향으로 일본 돗토리현으로 가거나 동해안으로 가게 된다. 운이 좋다면 독도를 만나 비바람을 피하고 위기를 넘길 수 있다. 또 북서쪽의 울릉도를 보고 방향을 잡아 귀향할 수도 있다.

일본이 주장하는 거짓 증거

본격적인 일본 취재를 하기 위해 시마네현으로 향했다. 일본은 독도가 시마네현에 편입되었고, 지금도 시마네현 소속이라고 억지 주장을 하고 있다. 시마네현청에 들어서자 2000년대 초반에 만든 '다케시마독도 자료실'이 보였다. 2016년 6월 1일에 오키노시마정隠岐の島町 구미久見지구에 '구미다케시마久見竹島 역사관'을 추가로 만들어 현재 일본에 공식적인 '다케시마' 사료관은 총 두 곳이다.

'다케시마'독도 자료실에 들러 일본이 어떤 주장을 하는지 알아보기로 했다. 처음 보지만 일본이 내세운 증거들은 너무 조악했다. 자료실 가운데에는 일본이 가장 확실한 증거라며 내세우는 고지도가 있었고, 그 주변에는 독도가 일본 고유영토

시마네현청 | 독도가 시마네현 소속이라 주장하는 시마네현청

임을 알리는 사진과 자료들이 있었다. 전시품들은 복제품이었고, 외무성이 만든 자료들을 확대 인쇄해 놓은 수준이었다. 겨우 이런 빈약한 자료들을 늘어놓고 자료실이라는 이름을 붙인 이유는 무얼까 생각해 보니, 자국민들에게 날조된 주장을 주입하는 수단이라는 결론에 이르렀다.

'다케시마'독도 자료실을 촬영하며 관계자들의 반응에 촉각을 세웠으나 이들은 불편해하거나 거부하지 않았다. 양국 간 심각한 갈등을 일으키는 문제이기에 복잡한 절차를 강요하고 우리의 일거수일투족을 상부에 보고할 것이라고 생각했지만 전혀 그렇지 않았다. 자료실 직원에 따르면 이곳을 방문하는 한국인이 많다고 한다. 이곳에 온 한국인들은 과연 무엇을 생

다케시마자료실 내부 | 독도가 일본 고유영토라며 홍보하는 사진과 자료들이 있었지만, 조악한 자료들일 뿐이었다.

각했을까? 독도를 알고 있는 사람이라면 너무도 심한 왜곡에 화가 치밀어 오를 것이다. 또한 복제품들만 가득한 전시실에 대한민국이 거짓말을 하고 있다는 말만 장황하게 늘어놓은 이 곳을 일본인들은 어떻게 생각할까 궁금했다.

중앙에 크게 전시한 지도가 방문객의 눈길을 끈다. 일본이 '다케시마'독도 이야기를 하면 가장 먼저 내세우고, 가장 신뢰한다는 이 지도를 보고 있자니 지도에 담긴 내용이 궁금해졌다. 일본 외무성에서 증거라 말하는 이 지도를 취재하기 위해 일본 고지도 전문가를 찾았다.

이 지도의 명칭은 『개정일본여지로정전도改正日本輿地路程全圖』로, 에도시대 유학자 나가쿠보 세키스이長久保赤水가 바쿠

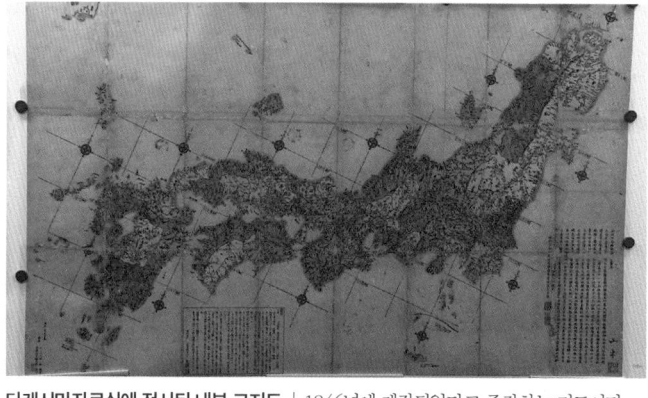

다케시마자료실에 전시된 내부 고지도 │ 1846년에 제작되었다고 주장하는 지도이다.

후의 허가를 받아 1779년 제작한 것이다. 1779년 초판을 제작한 후 여러 차례 개정했으며, 독도, 울릉도, 부산 등 조선의 영토는 채색하지 않고 경위도선 밖에 일본 영토와는 다르게 표시했다. 일본 고지도는 자국의 영역은 채색하고, 그 이외의 지역은 무채색으로 표시한다. 그리고 지도 제작자의 서문과 발행처 명칭, 제작자 날인 등이 있어야만 승인받은 공식 지도로 인정한다.

하지만 이 지도는 반드시 있어야 할 서문, 발행처, 날인 등이 없는 정체불명이었다. 누가, 언제 만들었는지도 모르고, 복사본인지 비정규판해적판인지도 알 수 없는 지도를 역사적 사실이라며 전시해 놓은 것이다.

모모야마가쿠인대학桃山学院大学 구보이 노리오久保井規夫 교수는 외무성 홈페이지에 있는 이 지도가 고카弘化 3년, 즉 1846년 나가쿠보 세키스이 사후 40년 후에 만들어진 비정규 판이라고 했다. 나카쿠보 세키스이가 제작한『개정일본여지 로정전도』는 1779년 초판이 제작되고, 이후 다섯 차례에 걸쳐 정규판이 나왔다. 모든 정규판에는 울릉도와 독도가 일본 영 토로 표기되어 있지 않으며, 마쓰시마, '다케시마'로 표기된 울 릉도와 독도는 조선 영토와 같은 색으로 채색했고, 일본 영토 에만 그려진 위도와 경도 표시도 되어 있지 않다.

구보이 노리오 교수는 울릉도와 독도가 일본 영토라고 표 기된『개정일본여지로정전도』에 대해 이상한 점이 있어 확인 한 결과 에도 바쿠후가 허가하지 않은 비정규판임을 밝혔다 고 한다. 고지도에 일가견이 있는 구보이 노리오 교수는 자신 이 가진 서양 지도나 일본 고지도들은 독도와 울릉도가 고려 나 조선의 땅으로 되어 있으며, 학자적 양심으로 일본 땅이라 고 차마 말할 수 없다고 했다. 또 정한론征韓論의 이론적 토대 를 제공한 하야시 시헤이林子平가 1786년에 쓴『삼국통람도설 三國通覽圖說』의「삼국통람여지노정전도三國通覽輿地路程全圖」 에도 조선과 일본이 각각 황색과 청색으로 구분되어 있다며, 세계 여러 나라에서 만든 지도에도 울릉도와 독도가 한반도에 속한 땅으로 표현되어 있다고 했다.

"일본 정부의 견해가 확실하게 검증되지 않았어요. 하지만 일본의 정치를 맡은 여당이나 야당 모두 정부의 견해를 그대로 받아들이고 있어요. 즉 정치 문제로 이를 해석하고 있는 것입니다. 예전 정부의 견해와 반대되는 것이지요."

구보이 노리오 교수는 역사적인 사실과 관계없이 정치적으로 이용하기 위해 왜곡하고 있다고 말했다.

일본 1차 취재를 마치고 돌아와 자료들을 정리해 보니 일본의 주장은 다음과 같다.

첫째, 일본은 '다케시마'竹島울릉도도해면허渡海免許'를 증거 자료로 하여 17세기 중엽부터 일본의 고유영토로서 독도 영유와 실효적 지배를 주장하고 있다. 둘째, 1905년 2월 이루어진 독도 침탈이 내각회의 결정에 따른 독도 영유 의사 재확인이었다는 점을 강조하고 있다. 셋째, 한국이 독도를 영유하고 실효적 지배를 했다고 하지만 명확한 증거가 없다고 주장하고 있다.

여기서 '실효적 지배'라는 말이 맞는지 따져봐야 한다.

실효적 지배實效的 支配
국가가 토지를 유효하게 점유하고 구체적으로 통치하여 지배권을 확립하는 일

– 표준국어대사전

이것은 실효적 점유實效的 占有라는 비슷하지만 조금 다른 말로도 표현할 수 있다. 무주지어떠한 나라에도 속하지 않는 지역 선점의 한 요건은 '국가가 토지를 유효하게 점유하고 구체적으로 통치해 지배권을 확립하는 것'을 뜻한다. 국제법상 '무주지 선점 원칙'에 따르면, 무주지는 그것을 선점할 의사를 나타내고 실효적으로 지배하면 그 나라의 영토가 된다. 즉, 실효적 점유는 국제법상으로 요건을 갖춰야 성립되는 것으로 평화롭게Peaceful, 지속적으로Continuous, 실제적으로Actual, 충분하게Sufficient, 영토주권을 표현하고Display, 실행해야Exercise 성립된다.

한편 무주지를 획득하려면 선점의 실효성과 계속성의 원칙이 필요한데, 이것은 개인이나 회사에 의한 실효적인 점유가 아닌 국가기관에 의한 정착지 건설이나 군대 주둔과 같은 실효적 점유를 의미한다.

그런데 '실효적 지배와 실효적 점유가 독도에 적용되는 것이 맞는가?'라는 질문을 하고 싶다. 이를 두고 전문가와 토론한 적이 있다. 실효적 지배와 점유의 차이는 주인이 '있는가, 없는가'이다. 일본이 주장하는 것은 실효적 점유에 가깝다. 일본의 주장대로라면 대한민국 정부가 실효적 지배를 하고 있다는 말이다. '과거에 내가 지배했으니 당연히 내 것'이라고 들리는데 우리 집에서 쓰는 내 책상을 두고 '내가 책상을 실효적 지배하고 있다'라고 표현하지 않는다. 대한민국은 '실효적 지배'라는 말 자체를 할 필요가 없다. 주인이 없는 물건을 두고 이야기하는 것이 '실효적 지배'이지 아주 오래전부터 여전히 사용하고 있는 주인이 할 말은 아니다. 일본은 자신들이 주인인데 빼앗겼다고 말하고 싶을 것이다. 그래서 대한민국이 '실효적 지배'를 하고 있다고 말하는 것이다. 하지만 독도는 엄연히 우리 것이다.

취재 당시 일본 정치인들과 일부 극우주의자들 외에 일본 국민 대부분은 독도에 관심도 없을뿐더러 신경도 쓰지 않았다. 그러나 2012년 이명박 전 대통령이 독도를 전격적으로 방문하자 일본 정부와 언론은 이를 대대적으로 비판하며 국민에게 반한감정의 불을 지폈다. 일본 외무성은 일주일에 걸쳐 70여 개 언론에 '다케시마독도는 일본의 고유영토'라는 홍보자료를 쏟아냈으며, 언론은 이를 토대로 지면을 도배했다.

'다케시마'독도는 역사적으로나 국제법상으로 일본의 고유영토다. 일본은 17세기 중엽에 '다케시마'독도의 영유권을 확보했고, 1905년 각의 결정에 따라 영유하는 의사를 재확인했다. 대한민국은 일본보다 먼저 '다케시마'독도를 실효 지배해 왔다고 주장하지만 근거로 내세우는 문헌은 애매하며 명확하지 않다.

일본이 지속적으로 주장한 내용과 별다른 차이가 없어 보이지만 일본 초중고 검정 교과서에 '다케시마독도는 역사적으로나 국제법상으로 일본의 고유영토인데 대한민국이 불법 점거하고 있다'라고 기술하여 '일본고유영토론'을 더욱 강화하는 명분으로 활용하고, 혐한정서를 부추기며 국내 정치에도 이용했다.

일본이 주장하는 근거는 1667년에 기록된 『은주시청합기隱州視聽合記』와 1779년에 제작한 『개정일본여지로정전도』 그리고 17세기 중엽의 「다케시마울릉도도해면허」 등이다.

『은주시청합기』의 주요 내용은 '독도와 울릉도에서 고려를 보는 것은 마치 운주雲州, 시마네현 소속에서 은주隱州, 은기도隱岐島, 현 오키섬를 보는 것과 같으므로 일본의 서북쪽 영토는 이 은주로 한계를 삼는다'라는 것이 요지다. 말하자면 독도와 울릉도에서 고려조선를 보는 것과 운주에서 은주를 보는 것을 대비한 것이다. 일본은 이 기록을 토대로 1956년 한국에 보낸 외교문서에 '일본 고문헌 『은주시청합기』에서 에도 바쿠후가 울릉도와 독도를 일본 서북부의 한계로 기록했다'라고 주장했다.

하지만 이를 정확히 해석하면 독도와 울릉도는 고려에 속한 영토이고, 일본의 서북쪽 국경은 오키섬을 한계로 한다는 설명이다. 일본은 이를 교묘히 날조하여 울릉도와 독도를 자국 영토라고 주장했다. 독도에 대한 일본 최초의 기록은 독도가

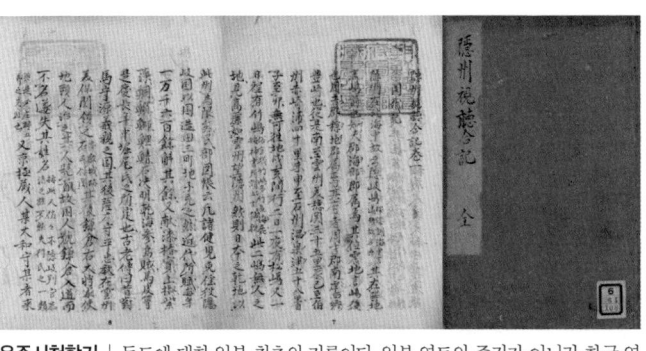

은주시청합기 | 독도에 대한 일본 최초의 기록이다. 일본 영토의 증거가 아니라 한국 영토라는 사실을 증명하는 문헌이다.

일본의 영토라는 증거가 아니라 한국 영토라는 사실을 증명하는 결정적 문헌인 셈이다.

　일본은 1779년에 제작한 『개정일본여지로정전도』를 토대로 '현재의 다케시마竹島는 일본에서 일찍이 마쓰시마松島로 불렸으며, 울릉도를 다케시마竹島 또는 이소다케시마磯竹島로 불렀다. 일본이 다케시마竹島와 마쓰시마松島의 존재를 옛날부터 인지하고 있었던 사실은 각종 지도나 문헌에서 확인할 수 있다'고 주장한다. 실제로 이 지도에는 다케시마울릉도와 마쓰시마독도가 표시되어 있으며, 그 옆에 깨알 같은 글씨로 '견고려유운주망은주見高麗猶雲州望隱州, 두 섬에서 고려를 보는 것은 마치 운주에서 은주를 바라보는 것과 같다'라고 적혀 있다. 앞의 『은주시청합기』의 내용과 별반 다르지 않다.

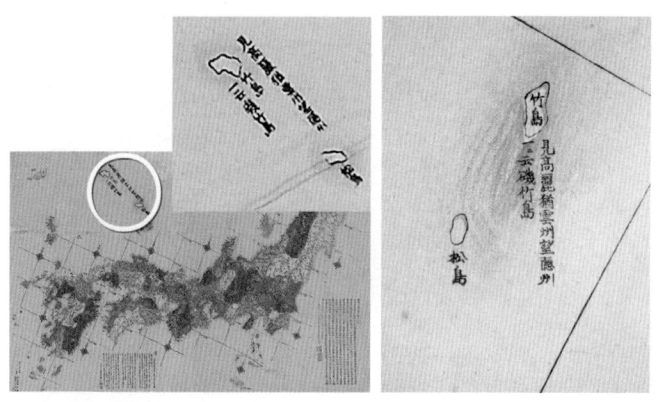

견고려운주망은주 | 독도와 울릉도가 대한민국 영토라는 사실을 간접적으로 증명하고 있다.

역설적으로 독도를 일본 영토로 인식했다는 두 자료 모두 독도와 울릉도가 역사적으로 대한민국 영토라는 사실을 간접적으로 증명하고 있다. 대한민국은 『은주시청합기』와 『개정일본여지로정전도』의 내용을 이렇게 해석하며 은주오키섬를 경계로 보아야 한다고 주장했다. 다시 말해, '고려를 보는 것은 운주에서 은주를 바라보는 것과 같다. 그래서 일본의 북서쪽은 은주로 경계를 삼아야 한다'라고 했다. 지극히 상식적이다.

대한민국이 일본 정부의 『은주시청합기』 해석이 허구라고 지적하자 일본 정부가 근거로 제시한 것이 1618년 에도 바쿠후가 오야大谷甚吉 가문과 무라카와村川市兵衛 가문에 내준「죽도울릉도도해면허竹島渡海免許」와「송도도해면허松島渡海免許」이다.

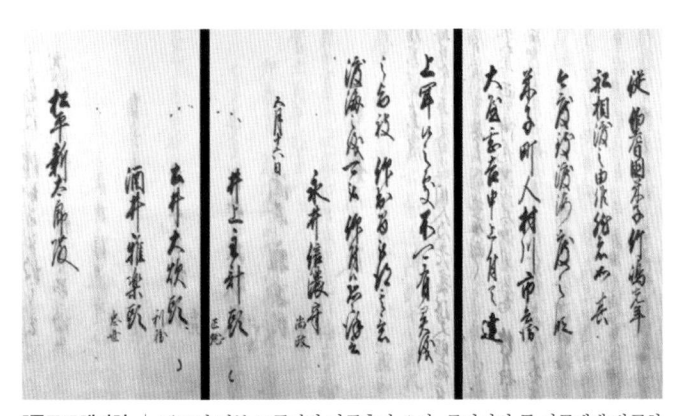

「죽도도해면허」 | 1618년 일본 도쿠가와 바쿠후가 오야·무라카와 두 가문에게 발급한 울릉도 조업 허가서일 뿐, 울릉도가 일본 영토라는 증거가 될 수 없다.

일본은 주인 없는 땅 마쓰시마_{당시 독도의 일본명}에 대해 17세기 중엽 이미 영유권을 확립했다고 주장한다.

"1618년 돗토리번 호키국 요나고의 주민 오야 진키치와 무라카와 이치베는 돗토리번 번주를 통하여 바쿠후로부터 다케시마_{당시 울릉도의 일본명}에 대한 도해면허를 취득했다. 이후 두 집안은 교대로 1년에 한 번 다케시마_{울릉도}로 도항하여 전복 채취, 강치_{바다사자} 포획, 수목 벌채 등에 종사했다."

일본은 이 증거자료로 늦어도 에도시대 초기인 17세기 중엽에 '다케시마'_{울릉도}에 대한 영유권을 확립했다고 주장한다.

"당시 바쿠후가 마쓰시마독도나 다케시마울릉도를 외국 영토로 인식하고 있었다면 쇄국령에 따라 일본인의 해외 도항을 금지한 1635년에 이 섬들에 대한 도항을 금지했겠지만 그러한 조치는 취하지 않았다."

너무 자의적인 해석이다. 이를 달리 해석하면 다음과 같다.

"일본 어부가 울릉도에서 고기잡이를 하려면 먼저 바쿠후의 허가를 받아야 했다. 왜냐면 울릉도가 일본 영토가 아니라 조선의 영토였고, 당시 바쿠후가 엄격한 쇄국정책을 실시하여 외국에 가기 위해서는 사전에 반드시 허가를 받도록 규제하고 있었기 때문이다. 따라서 월경하여 외국에서 고기잡이를 하여도 처벌받지 않으려면 공식허가를 받아야 했다. 도해면허 자체가 외국으로 건너가는 허가장이며, 도해면허 앞에 기록된 죽도나 송도 등의 지명은 그것이 외국이라는 사실을 가리키는 것이다."

일본 정부는 「죽도도해면허」와 「송도도해면허」를 바쿠후로부터 배령拜領했다고 표현하여 마치 다케시마울릉도와 마쓰시마독도의 영토를 하사받은 것 같은 인상을 주려 하지만 도해를 허가받는 것이지 영지를 하사받은 것은 아니었다. 따라서 17세기 「죽도도해면허」나 「송도도해면허」는 독도를 일본 고유영토라고 주장하는 증명이나 근거가 전혀 될 수 없다. 도리어 이 면허들은 울릉도와 독도가 조선의 영토라는 사실을 증명하는 자료인 셈이다.

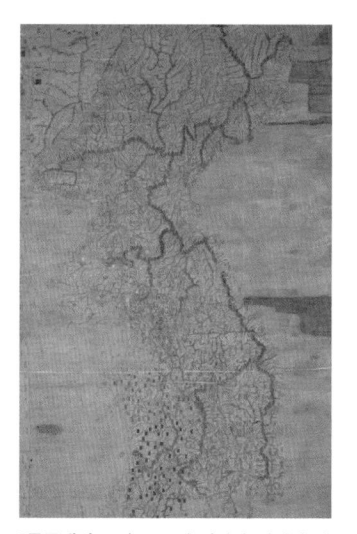

『동국대전도』 | 독도의 위치가 실제에 가깝게 표시되어 있다.

또 독도는 다양한 고지도에 들어가 있는데 조선 시대에는 우산도于山島라 칭했다. 조선 전도를 비롯하여 조선 후기의 군현 지도책에 나오는 울릉도 지도에서 확인할 수 있다. 조선 전기의 지도에는 독도인 우산도가 울릉도의 서쪽에 그려진 경우도 있지만 조선 후기에는 울릉도 동쪽으로 수정되었다. 이는 안용복 사건을 거치면서 독도에 대한 새로운 정보가 반영되었기 때문이다.

정상기의 『동국대전도東國大全圖』에는 독도의 위치가 실제에 가깝게 수정되었다. 이러한 경향은 『동국대전도』 계열에 속하는 『해좌전도海左全圖』에도 계속 이어진다. 『해좌전도』는 19세기 중반에 제작된 것으로 추정되는데 '해좌海左'는 중국에서 본다면 바다 동쪽에 있는 조선을 가리킨다. 지도의 윤곽과 내용은 정상기의 『동국대전도』와 유사하며 산계와 수계, 교통로 등이 같은 수법으로 그려졌다. 울릉도와 독도를 보면 울릉도에는 중봉中峯이 산 형태로 그려져 있다. 그 옆에 부속 도서의 형태로 우산도를 작게 그렸는데 산봉우리 모습도 그려 넣었다. 아울러 울진에서 이어지는 해로도 보인다. 여백에 울릉도의 연혁과 지리에 대한 간단한 글이 기재되어 있는데, 『신증동국여지승람新增東國輿地勝覽』 같은 지리지에 수록된 내용과 같다.

독도가 그려진 대표적인 군현 지도책으로는 18세기의 『조선지도朝鮮地圖』를 들 수 있다. 『조선지도』는 정상기의 『동국대전도』와 같은 것으로 국가 차원에서 새롭게 만들었다. 4.1~4.2cm 정도의 방격을 기초로 하였으며, 거리와 방향이 회화식 군현 지도에 비해 훨씬 정확하다. 여기의 울릉도 지도는 전체 구도나 내용으로 볼 때 이전 시기에 제작된 것을 기초로 한 것으로 여겨진다. 울릉도 동쪽으로 우산도가 있는데 이전 시기의 회화 기법을 가미한 울릉도 지도에 비해 울릉도 본섬에서 더 떨어져 있다. 방격 1칸을 20리로 본다면 거리가 대략 40리 정도다. 아울러 우산도를 울릉도와는 다른 별도의 해역으로 표현한 것으로 보아 독도를 그린 것이 분명하다.

일본 오키섬으로

독도가 표기된 지도들과 여러 내용을 확인하고 실제로 어떤 모습으로 존재하는지 『은주시청합기』에 나와 있는 운주雲州, 현 시마네현에서 은주隱州, 은기도隱岐島, 현 오키섬가 있는 오키제도로 향했다. 가는 길은 멀고 험했다. 항공편으로 이동하고 또다시 다른 항공편으로 갈아타야 하는데 가격이 만만치 않았다. 할 수 없이 차량을 이용하여 시마네현 마쓰에 인근 시치루이 항까지 가서 2시간 30여 분 배를 타고 오키섬에 도착했다. 처음 독도에 들어갈 때보다 더 피곤했다. 멀리 보이는 오키섬, 겉으로 보기에는 우리의 섬들과 별다른 차이가 없었다. 아주 평온하고 예쁜 섬 그러나 선착장에 도착하니 전혀 다른 모습이 펼쳐졌다.

오키 항구 | 배를 타고 오키섬에 도착했다.

항구에서 이동하는 동안 거리 곳곳에는 독도에 관한 현수막들이 붙어 있었다. 건물이나 육교는 말할 것도 없고 간판까지 만들어 세워두기도 했다. 온 마을이 홍보관 같았다.

'다케시마독도여 돌아오라', '다케시마독도는 일본 땅', '다케시마독도는 예나 지금이나 오키의 섬이다', '다케시마독도의 영유권 확립과 어업 안전 확보', '다케시마독도는 일본 고유의 영토다'

이 같은 선전 문구들이 현수막, 건물 벽, 표지판, 심지어 학용품과 빵에도 도배되어 있었다.

오키섬 플래카드 | '다케시마^{독도}는 지금도 옛날에도 오키의 섬'이라는 등의 내용이 적혀 있다.

이 정도라는 사실에 너무 놀라고 당황스러워 말문이 막혔다. 동행하던 코디네이터가 넋이 나간 나를 깨우며 애써 웃음을 지었다.

"감독님, 당황스러우시죠? 저도 처음 왔을 때 감독님과 똑같은 모습이었답니다. 정신 차리시고 이동하시죠."

다음에 이야기하겠지만 함께했던 코디네이터들은 일본 우익에게 흉악한 협박을 받기도 하고, 3~4일간 1,000km를 넘게 운전하는 등 고생을 너무 많이 했다. 지금도 그 때를 생각하면 고마운 마음이 앞선다.

길거리에 마구 휘갈겨진 '다케시마'독도 선전 문구와 사진, 표지판들을 보고 있자니 마을 전체가 제정신이 아닌 것 같다는 생각이 들 정도였다. 어느 식당은 '다케시마독도 카레'를 판매할 정도로 모든 것이 '다케시마'독도에 집중되어 있었다.

길가에 도배된 '다케시마'독도 선전 문구들 하나하나 보며 정신이 혼미할 무렵 숙소에 도착했다. 짐을 풀고 인터뷰를 위해 거리로 나왔다. 현지인 대부분은 한국 방송국에서 왔다고 하자 경계하며 인터뷰를 피했다.

"독도가 역사적으로 어떻게 오키제도의 일부분이 되었습니까? 오키섬에 사는 여러분이 이렇게 열심히 주장하는데 일본인들의 응원은 많이 받고 있나요? 오키섬 주민으로서 독도를 왜 일본 땅이라 생각합니까?"

현지인들에게 이러한 질문을 하면 정확하게 대답하지 못하고 비슷한 말만 늘어 놓는다.

"외무성 홈페이지를 보면 잘 나와 있어요. 구미다케시마독도 역사관에 잘 설명되어 있으니 그곳에 가보세요."

구미다케시마역사관 | 마을 사람들이 관리하는, 마을회관 정도 규모의 역사관이다.

　물론 화를 내고 욕을 하는 사람들도 있었지만 내용을 설명해 달라고 하면 모두가 자리를 떠났다. 첫날 인터뷰는 저녁 식사 자리에서 몇 명만이 비공개로 할 정도로 실패로 끝났다.

　이튿날, 오키섬에 자체 예산을 들여 새롭게 꾸민 구미다케시마독도역사관시마네현 오키노시마초을 가기 위해 아침 일찍부터 서둘러 움직였다.

　역사관은 생각보다 작았다. 우리나라 마을회관 정도의 규모였는데, 역사관에는 독도 사진 몇 장, 출처를 알 수 없는 지도 자료 몇 점, 어부들이 고기잡이를 하는 모습을 찍은 생활 자료 사진 몇 장이 전부였다. 대부분 '다케시마'독도전시실과 외무성 홈페이지에서 본 것이었다. 그리고 정체를 알 수 없는 전

일본에서 판매하는 독도 상품 │ 독도 관련 상품을 만들어 홍보하고 판매하고 있다.

시품도 있었는데 관리인도 설명하지 못하는 것들이었다. 상주 직원을 따로 두지 않고 마을 주민들이 돌아가며 관리하고 있었다.

찾아오는 관광객이나 관람객은 거의 없었다. 시마네현 다케시마독도전시실과는 달리 한국 방송사의 취재를 허락하지 않

동사무소의 외벽 | "다케시마의 영토권 확립과 어업의 안전 조업 확보"라는 플래카드가 걸려 있다.

았다. 한국인이 접근하는 것도 극도로 싫어하는 모습을 보여 취재하는 데 어려움을 겪었다. 결국 코디네이터와 옷을 바꿔 입고 일본 말 몇 마디를 배워 일본인 관광객인 것처럼 꾸며 도둑촬영을 했다.

울릉도의 독도박물관이 떠올랐다. 이곳과는 차이가 너무 난다. 시마네현 다케시마독도전시실과 구미다케시마독도역사관의 허접한 독도 관련 내용과 자료에 비하면 울릉도에 있는 독도박물관은 차원이 다른 전시를 하고 있다. 독도박물관 이승진 관장은 두 곳의 차이를 자세히 일러주었다.

"일본인들은 자기네 땅이 아니기에 증거가 많지 않으며, 한 가지 자료를 백 배로 확대하고 재생산해서 자국민에게 그릇된

정보를 마치 사실인 양 계속 알립니다. 그리고 오키에 만들어진 역사관은 생활 속 자료들을 가지고 '이렇게 울릉도와 독도를 경영했다'라며 독도가 자신들의 생활권이었음을 보여 주려고 한 것 같아요. 울릉도의 독도박물관이 보유한 자료나 내용과는 비교가 안 될 겁니다."

그러면서 관장님은 우리가 가진 많은 자료들을 활용해 독도가 우리 땅인 걸 널리 알려야 한다고 강조했다. 그 말에 동의한다. 일본은 국제행사나 국제단체 등을 이용한 해외 홍보에 힘쓰고 있다. 우리나라도 일본의 거짓 홍보에 맞서 독도가 대한민국 땅이라는 것을 해외에 더욱 적극적으로 알려야 할 것이다. 우리나라 안에서 우리 땅을 우리나라 사람들에게 홍보하는 것도 중요하지만 해외에도 널리 알려야 한다고 생각한다.

구미'다케시마'독도역사관을 취재한 후 시마네현 오키섬초사무소에 공식적인 인터뷰를 요청했다. 하지만 일본 정부의 입장과 시마네현 정부의 입장이 다를 수 있다는 이유로 거절했다. 대신 비공식적인 면담을 통해 독도가 일본 땅이라는 증거자료나 공식문서가 오키제도에 존재하는지, 존재한다면 언제 만들어진 것이고, 어떤 내용인지 물었다. 그러자 의외로 담당자의 솔직한 대답이 이어졌다.

"'다케시마'독도에 대한 증언을 많이 모았지만 어르신들의 이야기라 관련되지 않은 것이 여러 가지 있고, 종이 문서로 남아 있는 것은 없다. 더 자세한 이야기는 담당자로서 할 수 없으니 이해해 달라.”

옛 어르신들에게 전해 들었다는 이야기만 있고, 본인이 직접 듣거나 알고 있는 사람은 없었다. 물론 문서나 자료도 없었다.

그런데 ‘다케시마’독도 홍보에 왜 이렇게 열을 올리는지 궁금했다. 그러자 ‘일본 정부의 공식적인 정책’이기 때문에 지역으로 예산이 내려오고 공무원들은 이를 유지하고 상부로 보고해야 한다고 답했다. 자칫 정부의 주장과 다른 말이 한국의 방송을 통해 나가면 문제가 될 수 있다는 것으로 해석된다. 식은땀을 흘리며 공식 인터뷰를 거절했던 이유를 그제야 알 수 있었다.

오키섬 취재 마지막 날, 이 섬에서 가장 높은 곳에 올라가 독도 쪽을 바라보았다. 일본은 한때 이곳에서 독도가 보인다고 주장한 적이 있다. 하지만 보이지 않을 뿐 아니라 방향조차 제대로 잡기 힘들었다.

며칠간 이어진 취재를 마치고 돌아오는 배 안에서 이것저것 정리하다 보니 허탈한 마음만 가득했다. 현지 주민들은 일본 외무성이 만든 자료를 앵무새처럼 반복할 뿐 독도에 대해 특별한 이야기나 증거자료를 갖고 있지 않았다. 그리고 일본 정부가 『은주시청합기』를 바탕으로 내세운 주장을 정확히 알지 못했고, 독도를 직접 다녀왔다는 사람도, 옛날에 그런 말을 직접 들었다는 사람도 없었다.

그런데도 일본 정부와 시마네현 정부는 이른바 '다케시마의 날'까지 지정하며 독도를 일본 고유영토라 우기고 있다. 일본 정부가 역사와 자국민을 속여 가며 독도 영유권을 주장하는 이유에 대한 궁금증이 더해 갔다.

II.
독도의 역사

울릉도와 독도는 버려진 땅이다?

촬영하는 동안 일본이 말하는 '무주지'라는 단어가 머릿속을 계속 맴돌았다. 무엇을 근거로 주인이 없는 땅이라 주장하는 것일까? 우리 역사를 보면 독도 관련 내용이 심심찮게 나오는데 일본은 무주지라는 논리를 어떻게 만들었을까? 이에 대한 해답을 얻기 위해 '무주지'에 방점을 찍고 작가들과 다시 독도의 역사를 공부하고, 전문가들을 찾아 인터뷰하며 꼼꼼히 들여다보기 시작했다.

한국사에 등장하는 울릉도와 독도는 우산국을 기원으로 하고 있다. 우산국의 성립과 발전 과정은 명확히 밝혀지진 않았으나, 울릉도 남서리고분군과 현포리고분군에서 이루어진 조사를 통해 지석묘, 무문토기편, 붉은간토기 등 고고학적 사

『**삼국사기**』| 우산국의 흥망을 알 수 있는 기록이 남아 있다.

료가 확인되었다. 또 『삼국사기三國史記』, 『삼국유사三國遺事』, 『고려사高麗史』 등을 통해 우산국의 흥망을 확인할 수 있다. 『삼국사기』 「신라 본기」 지증왕 13년에 이사부가 출정한 기록이 있다.

"지증왕 13년 6월에 우산국于山國이 복종하여 해마다 토산물을 공물로 바치기로 하였다. 우산국은 명주溟州, 지금의 강릉 정동쪽 바다에 있는 섬으로 울릉도라고도 한다. 땅은 사방 백 리인데, 지세가 험한 것을 믿고 항복하지 않았다. 이찬 이사부가 하슬라주 군주가 되어 말하기를 '우산국 사람은 어리석고 사나워서 힘으로 다루기는 어려우니 계책으로 복종시켜야 한다'라며,

나무로 사자를 만들어 전함에 가득 싣고 그 나라 해안에 이르렀다. 이사부가 거짓으로 '만약 항복하지 않으면 이 사나운 짐승을 풀어 밟아 죽이겠다'라고 했다. 그러자 우산국 사람들이 두려워하며 즉시 항복하였다."

그리고 『세종실록』 「지리지」에는 '우산과 무릉 두 섬이 울진 동쪽 바다 한가운데 있는데 신라 때에 우산국 또는 울릉도로 불렀다'라는 기록이 있다. 『동국문헌비고東國文獻備考』에는 "울릉울릉도과 우산독도이 우산국의 땅"이라고 기술되어 있다.

이를 보면 적어도 5세기에는 울릉도에 해상세력을 주축으로 한 집단이 이미 거주하고 있었고, 신라의 우산국 원정을 계기로 늦어도 6세기 초에는 우산국과 한반도의 본격적인 내왕이 시작되었음을 알 수 있다. 그 후 독도와 울릉도는 우리의 역사에 계속해서 등장하고 기록으로 남아 있다.

이런 울릉도와 독도를 주인 없는 땅이라고 우기는 일본은 도대체 어디에 근거를 둔 것일까? 문득 조선이 시행한 쇄환정책刷還政策이 떠올랐다. 조선은 삼국시대부터 집요하게 이어지는 왜구의 약탈로 골머리를 앓고 있었다. 왜구는 시도 때도 없이 조선의 해안과 섬에 출몰했고, 그때마다 조선 정부는 정규군을 파견하여 이들을 퇴치했지만 효과적인 대응책이 되지 못했다. 급기야 조선 정부는 자국민을 먼바다로 나가지 못하게 하고 육지로부터 멀리 떨어진 섬을 비우고 주기적으로 관리하는 정책을 시행했다. 사람이 살지 않으면 노략질할 것도 없고, 그러면 왜구의 출몰도 자연스럽게 줄어들 것이라고 판단했다. 조선 정부는 왜구가 울릉도를 기반으로 두고 강원도까지 진출하는 것을 우려했다. 비슷한 이유로 서해와 남해 많은 섬의 주민들도 내륙으로 철수시켰다.

전국적으로 시행된 쇄환정책의 핵심은 왜구로부터 조선 백성들을 보호하는 것이었다. 일본은 자신들의 악행으로 시작된 문제에 사과하기는커녕 조선이 섬을 버렸다고 주장한다. 그렇다면 쇄환정책으로 서해와 남해에 비워둔 섬들도 일본 땅이란 말인가. 일본의 논리대로라면 쇄환정책으로 비워둔 섬들이 어디든 자신들의 땅이라 해도 문제되지 않는다.

1417년태종 17 조선 정부는 우산도·무릉도 주민들을 육지로 데리고 나올지, 곡식과 농기구를 주어 안정시킨 후 관리를 파견하고 세금을 거둘지 토의했다. 당시 공조판서 황희의 의견에 따라 백성들의 왕래와 거주를 금지하고, 주기적으로 섬을 순찰하는 쇄환정책이 시행되었다. 이로써 울릉도·독도 지역은 512년 이후 905년 만에 백성의 왕래와 거주가 법으로 금지되었다. 이는 백성의 안전과 영토 보전이라는 두 가지 목적을 위한 것이었다.

쇄환정책은 조선 초기의 국내 사정과 무관하지 않았다. 조선은 개국 초기부터 한반도 동북·서북 방면 개척과 사민정책, 그리고 태종 때 집중적으로 이루어진 지방제도 정비에 국력을 집중했다. 특히 지방제도 정비는 작은 고을들을 통폐합하며 수를 줄이는 것이었기에 쇄환정책과 일맥상통하는 조치였다.

조선의 쇄환정책을 두고 일본은 공도정책空島政策이라 하여 '울릉도와 독도를 버려두었다'며 무주지 선점론을 주장하고 있다. '공도정책'은 일본 학자들이 처음 제기한 것으로, 울릉도를 일본 영토로 편입시키려는 침략 의도에서 비롯되었으며 조선의 해양 전반으로 확대하여 적용되었다. 공도정책하에서 섬은 원칙적으로 국왕의 지배와 보호가 미치는 통치의 대상이 아니었고, 행정 편제의 대상에서도 배제되었다고 주장한다. 하지만 우리 역사를 보면 백성들의 생명과 재산을 보호한 것이지 울릉도와 독도를 내버려둔 적은 단 한 번도 없다.

여기서 한 가지 의견을 제시한다. 일본이 만든 '공도정책'이란 말을 우리 스스로 꺼내지 않아야 한다. 공도정책은 말 그대로 섬을 비운 것이다. 하지만 우리는 포악한 왜구들로부터 백성들의 목숨을 지키기 위해 육지로 불러들여 섬을 관리한 것이지 일본의 말처럼 그냥 버린 것이 아니다. 공도정책이란 말은 일본의 주장과 너무 맞닿아 있기에 우리 스스로 이런 단어를 쓰기보다는 우리의 역사와 의식이 나타나는 우리식 표현을 사용하는 것이 좋다.

독도 | 독도는 우리가 보호하고 지켜온 우리 땅이다.

　조선 정부는 울릉도와 독도를 항상 관리하고 살폈다. 이를 증명하는 기록이 많이 남아 있어 확인하는 것은 어렵지 않다. 바로 조선의 수토정책搜討政策으로, 울릉도와 독도를 항상 시찰했다는 '수토사搜討使'에 대한 기록이다.

수토搜討 - 수색하여 토벌하다

경상북도 울진군에서는 수토사 뱃길 재현 행사가 열린다. 구산리 주민과 학생 80여 명은 조선 시대 수군 복장을 하고 모형 수토선에 승선하여 월송포 진성에서 대풍헌까지 행진한다. 구산리의 대풍헌待風軒은 정확한 건립 연대는 확인할 수 없으나 「구산동사중수기」에 따르면 1851년 중수하고 대풍헌이라는 현판을 걸었다고 한다. 구산항에서 울릉도로 가는 수토사搜討使가 순풍을 기다리며 머물렀던 장소였다. 울릉도·독도는 바다가 허락하지 않는다면 갈 수 없는 곳이다. 수토에 나선 수토관搜討官들은 목숨을 앗아갈 수 있는 험한 파도와 싸우며 영토 수호 임무에 전력을 다했다. 이들의 희생을 통해 조선 정부는 200여 년간 이 땅을 지켜냈다.

대풍헌 | 대풍헌에서 발견된 고서에 '수토'에 관한 내용이 있었다.

심현용 박사울진군청 학예연구사는 '수토사'라는 말을 세상에 널리 알린 분이다. 그는 수토사에 관한 자료를 찾기 위해 비문이나 사료들을 찾아 동분서주하고 있었다. 그러던 어느 날 마을 사람들이 옛 건물현 대풍헌을 정리하다가 고서 몇 권이 발견됐다는 소식을 듣고 한달음에 달려갔다. 그의 기대처럼 고서에는 그가 간절히 찾았던 '수토'에 관한 내용이 있었고, 수토사를 세상에 알리게 되었다. 심현용 박사는 수토사가 갖는 정책적 의미를 알려주었다.

"수토搜討는 '搜수색할 수' 자에 '討토벌할 토' 자를 써서 수색하여 토벌한다는 뜻입니다. 한때 '수색하고 토의하다'라고 해석

되기도 했으나 지금은 '수색하여 토벌하다'로 해석합니다. 이 용어가 활성화되고 국가 정책이 되는 시기가 바로 조선 시대입니다. 특히 '안용복 사건' 이후 1694~1894년까지 약 200년도 동안 울릉도·독도에 대한 국가 정책으로 수색하고 관리한 것입니다."

안용복이 살았던 17세기는 전반적으로 기온이 내려갔던 소빙기로 자연재해와 기근, 전염병이 절정에 달하던 시기였다. 조선의 동·남해 어민들도 이러한 재난에서 살아남기 위해 울릉도와 독도까지 가서 조업하는 일이 많았다. 이들 가운데 안용복·박어둔이 일본 오야가의 어부들에게 납치되는 사건이 발생했다. 이후 조선 정부-동래부는 일본 에도 바쿠후-쓰시마번과 외교 교섭을 벌여 울릉도와 독도가 조선령임을 확인했다. 이를 '울릉도쟁계'라고 한다.

조선은 울릉도쟁계 이후 1694년^{숙종 20} 장한상張漢相을 파견하여 울릉도를 수토搜討하고 3년마다 정례화하였다. 수토란 울릉도에 불법으로 입도한 조선인과 일본인을 수색해서 처벌하는 것으로 실질적으로 영토 관리의 의미였다. 『승정원일기』 793책, 영조 11년 1월 17일에는 흉년을 이유로 신하들이 울릉도 수토 연기를 건의하자 영조가 '이 땅^{울릉도}을 버린다면 그만이지만, 그렇지 않다면 어찌 수토관을 들여보내지 않을 수 있겠는가此地若棄之則已, 不然豈可不爲入送耶?'라며 영토 수호 의지를 적

돗토리번 답변서 | 울릉도와 독도가 일본 영토가 아님을 밝혔다.

극적으로 표명하였다는 기록이 전한다.

또 울릉도 수토관은 수토를 마친 뒤엔 자단향紫檀香, 황죽黃竹, 가지어가죽可支魚皮, 석간주石間朱 등의 토산물을 진상進上했다. 토산물 진상은 '온 천하가 왕의 땅이 아닌 곳이 없다普天之下, 莫非王土'라는 영토 관념에서 나온 것이었다. 자단향은 울릉도에 자생하는 향나무로 제례에 사용하였고, 가지어는 독도 강치라 부르는 바다사자과에 속하는 생물이다. 석간주는 단청에 사용하는 귀한 염료로 울릉도에서 채취하였으며, 지금도 울릉도에는 '대황토구미'와 '소황토구미'라는 지명이 남아 있다. 황죽은 일본의 주요 약탈품으로, 단소 재료로 많이 사용

울릉도 토산물 | 울릉도 수토관은 토산물을 진상했다. 순서대로 자단향, 석간주, 가지어 가죽, 황죽 등이다.

했다. 수토는 흉년이 들거나 특수한 사정이 생겨서 시행에 변동이 있기도 했지만, 1895년에 도감島監을 임명해서 울릉도를 관리하기 전까지 계속되었다.

수토관 장한상張漢相은 삼척수군첨절제사 겸 삼척영장으로 제수되어 수토선을 건조하고 해로탐사, 식량·장비 조달, 항해에 필요한 기술자와 병력 선발 등 수토를 준비하였다. 그리고 수토에 앞서 군관 최세철에게 가볍고 빠른 배 두 척을 내주고 울릉도에 다녀오게 했다.

1694년 9월 19일 사시巳時, 장한상은 여섯 척의 선박에

150명의 병력을 태우고 삼척부 남면 장오리진을 출발했다. 선단은 전투함인 기선騎船 한 척, 보급선인 복선卜船 한 척, 급수선汲水船 네 척으로 이뤘다. 항로는 만만치 않았다. 비바람이 세찼고 파도가 높았다. 선단은 뿔뿔이 흩어져 밤새 악천후와 사투를 벌인 끝에 하루 만에 울릉도에 도착했다. 장한상은 10월 3일까지 13일간 섬 곳곳을 조사하고 수색하며 백성이 이주하여 살 수 있는지, 섬에 방어진을 설치할 수 있는지, 현재 일본인들이 사는지를 중점적으로 조사했다. 그는 이틀 동안 배를 타고 섬 주위를 돌아본 뒤 중봉성인봉에 올라 주위를 관측했다. 장한상은 조선 관리로서 독도를 눈으로 보고 기록으로 남겼다.

장한상은 삼척으로 돌아온 뒤 사흘째 되던 날 13일간의 조사 내용을 『울릉도사적鬱陵島事蹟』에 기록해 비변사에 보고했다. 그의 보고를 토대로 이주정책 대신 2~3년마다 수토하는 방향으로 정책이 세워졌다. 수토정책은 1894년고종 31 공식적으로 폐지될 때까지 200년 동안 운용됐다. 수토사는 영토 수호뿐 아니라 영토의 특성을 파악함으로써 백성들의 삶에 대한 전반적인 이해를 도왔고, 영토 수호를 위한 자료도 수집하였다.

첫 임무를 명받았던 장한상부터 박석창, 장원익 등 많은 이들이 바닷길을 올랐지만 울릉도로 가는 여정은 녹록치 않았다. 심현용 박사는 수토사들이 삼척항, 장호항, 죽변항, 구산항 등 여러 곳에서 출발하였다고 알려 주었다.

"문헌을 보면 원래는 삼척과 울진 두 곳에서 번갈아 출항했는데 시간이 지나면서 삼척에서 출발할 때는 삼척항이나 장호항에서 출발했고, 울진의 죽변항에서도 출항했다는 기록이 있습니다. 이후 18세기 말부터는 월송포진 바로 옆에 평해^{울진} 구산항이 출발 기점으로 확인되고 있습니다."

구산항에는 대풍헌이 있다. 울릉도를 오가는 길은 바람과 해류의 영향으로 쉽게 열리지 않는다. 목숨 걸고 가야 하는 수토의 길에 많은 수토사 일행이 목숨을 잃었다. 안전한 출발지로 알려진 이곳 대풍헌에서 수토사들은 바람이 잦아들기만을 기다렸으리라. 대풍헌은 알맞은 바람과 해류를 기다리기에 가장 좋은 장소였다. 북쪽의 한류와 남쪽의 난류가 만나 동쪽 울릉도 방향으로 흘러가는 곳이 대풍헌이 있는 평해 구산포였다.

『조선왕조실록』은 거친 파도에 목숨을 맡겨야 했던 수토사들의 모습뿐만 아니라 이를 피하려 했던 모습들이 모두 기록되어 있다.

- 세종 7년¹⁴²⁵ 안무사 김인우의 2차 수토 때 수행원 46명
 이 실종되는 큰 사고가 발생했는데 그중 36명은 익사하고
 10명은 표류하다 일본 대마도를 거쳐 조선으로 돌아왔다.
- 숙종 21년¹⁶⁹⁵ 이준명은 삼척첨사에 임명되자 울릉도를

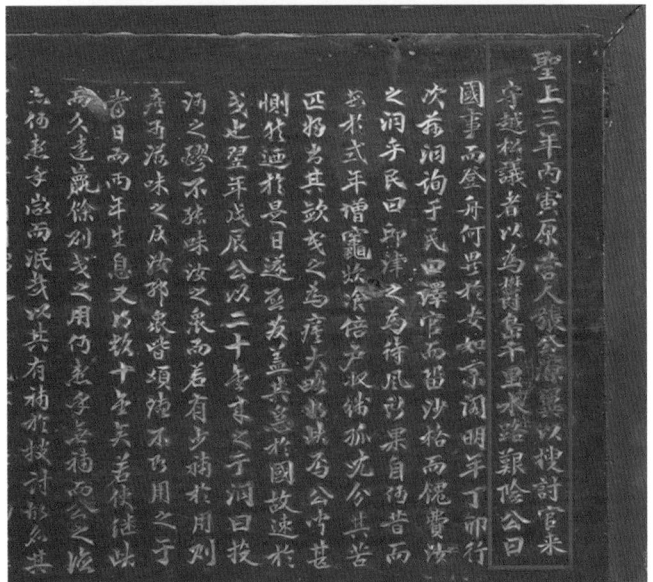

대풍헌 내부 | 1870년 장원익이 수토관으로 왔다는 구체적인 내용이 적혀 있다. 당시 수토사 일행은 죽음의 길과도 같은 항해를 해야 했다.

수토하러 가는 것을 회피했다.

- 숙종 31년1705 익사한 평해 고을 군관 황인건 등에게 휼전
  을 거행하라고 명하다.
- 영조 36년1760 이유천이 수토사를 회피했다.
- 정조 18년1794 수토사 한창국 역시 엄청난 풍랑을 만났다.

그렇기에 이 마을구산항 사람들은 정성껏 수토사들을 대접하고, 산제山祭와 해제海祭, 선제船祭 등 무사귀환을 기원하며 제사를 지냈고, 항해 중에 바람이 불면 용식龍食을 바다에 뿌리기도 했다. 제사 비용도 만만치 않았고, 주기적으로 계속되는 수토와 그에 따른 비용은 고스란히 주민들의 고통으로 이어졌다. 구산동 사람들은 "울릉도 수토 시에 진영 사또와 월송 만호 행차에 봉행 비용이 구산동에 너무 집중되어 있으니 분산을 시켜 달라"라며 관에 소를 올렸다. 그러자 평해 관아에서 인근 여덟 마을에 120냥을 분배하고 그 이자로 수토 비용을 충당하라고 지시했다. 추가로 상선과 선주에게 세를 받는 내용도 포함되었다.

수토사 규모는 처음에 여섯 척 150명이었다가 나중에는 네 척 80명 정도였다. 이들은 출발 전 구산리 대풍헌에 머물며 순풍을 기다렸다. 수토사가 200년간 울릉도와 독도를 수토한 것은 분명한 사실이다. 그런데 1880년대를 전후해 월송만호, 삼

척영장, 강원감사 등을 통해 의정부로 일본의 침략이 빈번하다는 보고서가 잦아지자 위기의식을 느낀 고종은 특별히 이규원 李奎遠을 울릉도 검찰사로 임명하고 울릉도 수토를 명한다.

이규원의 『울릉도검찰일기』와 고종의 '이주명령'

　만은晩隱 이규원李奎遠은 매우 청렴한 관리였다. 그는 항상 백성을 아끼며 그들의 편에서 직무를 수행했다. 『울릉도검찰일기』에서 그가 검찰사로서 울릉도 검찰 임무를 마치고 서울로 돌아올 때 "구산포 남자들은 웃옷을 벗어 땅에 깔아 그가 땅을 밟지 않도록 하였고, 여자는 노소를 막론하여 치마를 벗어 길을 덮고 땅에 엎드려 고별하는데 절하고 울지 않는 이가 없었다"라고 전할 정도다. 또 함경남도병마절도사 시절에는 그의 행적을 기린 비석이 22개나 세워졌음은 그의 선정이 주민들에게 큰 감명을 주었음을 입증하는 것이기도 하다. 『매천야록』에는 "재능과 지혜를 갖추고 청렴과 결백으로 유명하다"라고 하였다. 실제로 그의 유사에는 "녹봉으로 민폐를 돌보고… 공은 받으시는 것이 거의 없어 주군에 아홉 번이나 임명되었고, 장임으로 세 번이나 임명되었으며, 남병사와 함북관찰사로 여러 해 지냈으나 여전히 청빈했다"라고 전한다. 그의 청렴은 장희莊僖라는 시호로도 알 수 있으며, 전국의 부임지마다 치적이 훌륭했던 '조선 말 정계의 거목'이었다.

고종의 명을 받은 이규원은 당시 수토사에게 배와 물자 그리고 인원 등을 지원하는 강원 감영의 임한수林翰洙 관찰사에게 인원과 물자를 요청하였다. 이후 이규원은 원주목에서 순흥, 안동, 영양을 거쳐 평해로 향했다. 대풍헌에 도착한 이규원은 바람을 기다리다 1882년 4월 29일 출발하여 30일에 울릉도에 도착했고, 12일간 검찰하고 서울로 돌아와 6월 6일 고종에게 복명했다. 그는 『울릉도검찰일기』에 이 여정을 상세히 기록했다.

그런데 고종은 그보다 한 달 전인 1882년 3월 중순에 밀서를 통해 이명우에게도 울릉도 수토를 지시했다. 수토사가 있는데도 또 다른 이에게 울릉도 조사를 명령한 것이다. 그렇다면 공식적인 울릉도검찰사 이규원의 수토와 밀서를 통해 명을 받은 이명우의 수토는 어떤 차이가 있을까?

이명우의 울릉도 수토는 한참 후에 후손에 의해 밝혀졌다. 그는 『울릉도기鬱陵島記』를 통해 고종의 명을 받아 울릉도에 다녀왔음을 밝혔다. 이를 살펴보면 고종은 수토사들의 보고를 불신하여 이명우를 비밀리에 파견함으로써 이규원의 검찰 내용을 이중으로 확인하려고 했다. 한편으로는 이규원을 심리적으로 압박하여 자세한 검찰을 유도하기 위함이었다.

고종은 이규원에게 울릉도 개척 방법과 농사 가능 지역 조사를 지시했다. 사람이 살기 적합한지를 조사하는 것이 목적이었다. 중요한 사실은 이규원의 보고 이후 울릉도와 독도 지역에 대한 조선의 정책 방향이 완전히 바뀌었다는 점이다. 이규원은 울릉도에 머무르고 있던 내국인 140여 명의 기록과 울릉도의 지형, 기후, 동식물 분포, 특산물 등을 본인이 느낀 점과 함께 상세히 보고했다. 더불어 '대일본국송도규곡大日本國松島槻谷'이라는 표목까지 세워 놓고 불법으로 벌목하던 78명의 일본인들에게 울릉도가 조선 땅임을 주지시킨 사실도 보고했다. 당시 일본에서는 성이나 건축물의 주재료로 울릉도의 굵고 튼튼한 목재가 인기가 높아 좋은 가격으로 거래되었다고 한다. 에도 바쿠후는 울릉도가 조선 땅임을 재차 확인하고 있었으나 민간의 불법행위는 공공연히 이루어지고 있어 하루라도 빨리 울릉도를 개척해야 한다는 당위성을 제공했다.

이규원은 울릉도에서 거주 가능한 지역으로 방어에 용이하고 1,000여 호가 살 수 있는 나리동나리분지을 지목했다. 그는 '하늘이 감추어둔 별세계'로 울릉도 유일의 평야인 나리분지에 감탄하였다. 이 밖에 거주 가능한 여덟 곳과 포구로 개발할

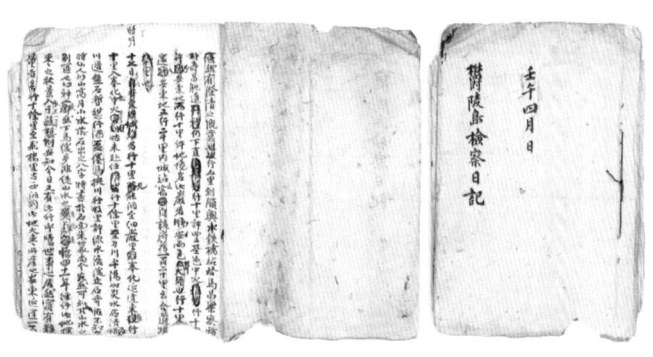

『**울릉도검찰일기**』│ 울릉도검찰사 이규원이 울릉도를 다녀오며 그 과정에서 있었던 일을 기록한 것이다.

수 있는 스무 곳을 보고하였는데 현재 이 지역에 울릉도 주민 대부분이 거주하고 있어 그의 탁월한 안목을 엿볼 수 있다. 이후 이규원은 울릉도 내도와 외도, 울릉도 내부 길이와 넓이, 울릉도 외부의 섬들 등을 상세히 기록했다. 비록 성인봉에서 독도를 확인하지는 못했지만 울릉도뿐 아니라 독도까지 자국 영토임을 확인하고 관리하려는 고종의 의중은 충분히 전해졌다.

　이규원은 고종에게 검찰 결과를 보고하는 자리에서 울릉도를 포기하지 말 것과 일본인들의 불법행위에 대하여 엄중히 항의할 것을 강조했다. 이에 고종은 울릉도 '이주명령'을 내리고, 일본에 항의 서한을 보냈다. 만약 1883년 울릉도에 '이주명령'이 내려지지 않았다면 일본은 독도뿐 아니라 울릉도까지 자국 영토라 주장하며 분쟁을 획책하였을지도 모른다. 바로 이 점에서 이규원과 고종의 영토 수호 의지의 합작품인 '울릉도 이주명령'의 중요성을 새삼 확인할 수 있다.

울릉도 이주명령은 울릉도가 우리 땅임을 일본에 확인하는 결과인 동시에 독도가 우리 땅임을 천명하게 된 결정적 계기가 되었다. 따라서 적절한 시기에 울릉도에 이주명령을 내리는 데 기초자료를 제공한 이규원의 역할은 매우 중요했다. 이규원의『울릉도검찰일기』와 이규원의 수토를 확인해 주는 학포마을의「임오명각석문」은 문헌과 유적으로 확고한 역사가 된 것에 큰 의미가 있다. 각석문을 통해 수토사뿐 아니라 수행했던 군관, 왜학, 사령 등 생생한 역사를 한눈에 볼 수 있다.

또 태하동 작은 포구에도 1801년 삼척영장을 지낸 김최환, 1804~1805년까지 삼척영장을 지낸 이보국의 각석문 등이 남아 있다. 이곳의 각석문을 영상과 사진으로 남길 수 있어 기쁘기도 했지만 한편으로 아쉬운 마음도 컸다. 방파제 뒤쪽까지 암벽 하단에 다양한 각석문이 있었지만 항만공사 과정에서 대부분 없어지고 말았다. 수토에 관한 기록들이 사라져 버린 것이다. 수토에 대한 인식이 없을 때 발생한 일이지만 역사적인 사실을 증명하는 유적이 사라져 매우 아쉽다. 60여 회 이상 수토한 기록은 있지만 각석문과 연결되는 유적 일부가 사라진 것이다. 누구든 울릉도에 간다면 태하동 수토역사관에 꼭 들리기를 권한다. 가서 우리 역사를 한번 확인해 보기 바란다.

「임오명각석문」 | 이규원의 수토를 확인해 주는 학포마을의 유적이다.

또 울릉도의 대표 성황당인 태하동 성하신당에는 수토와 관련된 전설이 전한다. 이 전설은 조선 태종 때 임명된 안무사按撫使 김인우에 얽힌 설화에서 유래했다.

「태하각석문」 | 삼척영장 김최한, 이보국 등 여러 수토사들의 흔적이 남아 있다.

울릉도 백성들을 본토로 송환하러 온 김인우 안무사가 섬을 살피고 돌아오려는데 거센 풍랑이 일어 발이 묶였다. 그러던 어느 날 밤 어린 남녀 두 명을 섬에 남겨 두고 가라는 꿈을 꾸었다. 일행 중 동남동녀童男童女 두 명에게 놓고 온 벼루와 먹을 찾아오라고 거짓말을 하고 급히 출항하자 파도가 멎고 동풍이 불었다. 아이들은 뒤늦게 이를 알고 울부짖다가 죽고 말았다. 죄책감에 시달리던 김인우는 8년 후 꼭 껴안은 채 백골이 된 아이들의 혼을 달래기 위해 사당을 짓고 제사를 지냈는데 이게 바로 성하신당이다.

신당 안에는 성하지남신위聖霞之男神位, 성하지여신위聖霞之女神位 두 아이의 신위가 모셔져 있다. 예로부터 울릉도에서 크

성하신당 | 수토 관련 전설에서 유래했다.

고 작은 배를 만들면 선주가 가장 먼저 이곳을 찾아 제사를 지낸 후 운항과 조업을 시작했다고 한다. 이곳 역시 조선의 쇄환, 수토정책과 연관이 있는 슬픈 전설이다.

울진과 울릉도의 학포, 태하, 성인봉 등 여러 곳을 다니다 보니 독도에 대하여 조금씩 알아가고 있다는 기분이 들었다. 뿌듯한 마음이 생기며, 이제야 독도 다큐멘터리를 제작하는 PD의 모습을 갖추기 시작했다는 생각이 들었다. 새롭게 합류하는 제작진에게 잘난 척하며 겨우 한마디 하는 수준이지만 그럴수록 더욱 열심히 해야 한다는 사명감이 힘을 북돋웠다.

울릉도 취재의 어려움을 잊게 한 것은 처음 먹어보는 맛있는 음식들이었다. 그러다 보니 먹는 방송인 일명 '먹방' PD를 해볼까 하는 생각마저 들었다. 울릉도에 처음 왔을 때 먹었던 꽁치물회는 누구에게라도 가장 먼저 권하는 음식이다. 또 따개비칼국수, 홍합밥, 오징어내장탕 등 양손으로 다 꼽지 못할 정도로 맛있는 음식이 많다.

독도를 생각하고 사랑하는 사람들이 많을수록 좋지만 금전적 이익을 위해서 독도를 파는 사람도 가끔 보인다. 독도에서 나오는 재료로 만든 제품이라며 사람들을 속이거나 독도에 들어갈 때 꼭 가지고 가야 하는 물품들이라며 현혹하는 이들이 있다. 독도는 문화재보호법에 의해 천연기념물로 지정되어 풀한 포기 물 한 방울 가지고 나올 수 없다. 따라서 독도에서 가

독도 탐방 | 많은 사람들이 독도를 탐방하고 있다.

지고 왔다는 말 자체가 불법이며 거짓이다. 독도를 사랑하는 마음이 조금이라도 있다면 독도에 처음 오는 사람들의 눈살을 찌푸리게 하는 일은 하지 말아야 한다.

울릉도에서 독도로 가는 승객들의 손에는 태극기가 하나씩 들려 있다. 그리고 독도에 도착해서는 '독도는 우리 땅'이라며 외치고 독도경비대원들과 사진을 찍는다. 모두가 '나는 독도를 사랑하는 대한민국 국민으로서 독도에 다녀왔고, 애국을 했다, 이것으로 내 할 일을 다 했다'라고 생각하는 것 같다.

작고 아름다운 우리 땅 독도가 지닌 역사와 영토주권의 의미를 되새기며 독도를 보다 소중하게 여기는 마음이 필요하다.

조선의 영토로 인정한 일본의 공식 문서

독도가 조선의 땅이라는 일본의 공식 문서는 많이 존재하는 데 그중 주목할 문서는 「죽도竹島. 울릉도도해금지령」과 「태정 관지령」이다.

먼저 「죽도도해금지령」을 살펴보면, 임진왜란 이후 조선 정부가 울릉도에 정기적인 순심巡審을 하지 못하자 조선 본토에서 새로운 삶의 터전을 찾아 울릉도에 들어가는 사람이 늘어 났다. 아울러 일본 어민들도 황금어장인 울릉도 근해로 불법 출어가 잦았다. 그러던 중 일본의 오야大谷·무라카와村川 두 가문은 에도 바쿠후로부터 1617년 「죽도도해면허」를 얻으며 조선 어민들과 충돌하였다. 이것이 앞에서 이야기한 안용복 사건이다.

경상도 동래 출신인 안용복은 1693년숙종 19 봄 울릉도에 출어하였다가 일본 어민들에게 납치되었다. 그는 조선 영토인 울릉도에 일본 어민이 출어하는 것은 불법이라며 일본 관리에게 항의했다. 그러자 쓰시마 번주는 조선 어민들의 일본령 죽도울릉도 출어를 금지해 달라는 서계書契를 조선 정부로 보내왔다. 만약 이 요청이 받아들여진다면 울릉도의 영유권은 일본에 속하게 되는 것이었다. 하지만 조선 정부는 "죽도 출어를 금지하며, 울릉은 조선 영토임"을 밝히는 서계를 쓰시마번으로 보냈다. 그러자 쓰시마 번주는 1694년 다시 조선의 서계에 있는 '울릉' 두 글자를 삭제해 줄 것을 요청했다. 계속되는 쓰시마 번주의 요구에도 조선 정부는 "죽도, 즉 울릉도는 조선의 판도로『동국여지승람東國輿地勝覽』에 실려 있고, 앞으로 일본 어민들의 왕래를 금한다"라며 강경한 자세를 보였다. 이에 에도 바쿠후도 1696년에 죽도가 조선 영토임을 인정하고 어민들에게 "일본인의 어채를 영구히 불허한다"라는 「도해금지령渡海禁止令」을 내렸다.

이후 하마다浜田 마쓰하라松源浦 출신의 하치에몬八右衛門이 등장하며 1837년 다시 한번 「죽도도해금지령」이 내려졌다. 하치에몬은 불법으로 도해한 범법자이지만, 메이지 시대가 시작되자 바쿠후의 쇄국정책에도 불구하고 해외로 눈을 돌렸다며 영웅으로 추앙받는 인물이 되었다. 그를 기리는 송덕비가 하

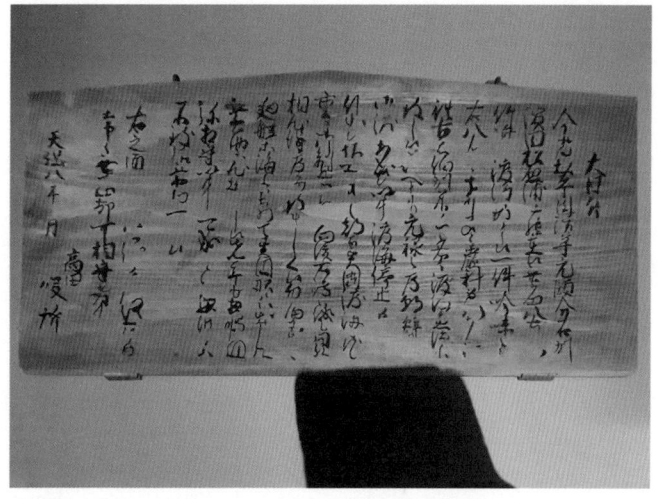

죽도제찰 | "죽도는 조선 땅이므로 항해를 금지한다"라는 내용이다.

마다항에 세워졌고, 하마다 개항 100주년을 맞아 그를 주인공으로 하는 시민 창작극이 만들어지기도 했다.

일본 우익은 일본이 독도를 지배했다는 근거로 하치에몬을 내세우지만 그는 바쿠후의 허가 없이 울릉도로 건너갔다가 처형된 인물이다. 하마다 영주가 울릉도·독도 도해 허가를 내주지 않자 몰래 울릉도에 들어가 목재를 베어 팔다가 관리에게 발각되어 하치에몬은 사형당하고 번주를 비롯한 관리들은 중죄를 받았다. 에도 바쿠후는 독도를 울릉도의 부속 섬으로 인정하고 「죽도도해금지령」을 어긴 것에 대해 엄한 형벌을 내린 것이다. 이처럼 에도 바쿠후는 독도를 조선 땅으로 인정하고 있었던 것이다.

하치에몬 재판기록에 첨부된 지도에는 하치에몬이 울릉도 도해 당시 직접 그린 지도가 첨부되어 있는데, 조선과 울릉도·독도는 붉은색이고, 오키섬과 일본열도는 하얀색으로 구분하여 채색되어 있다. 당시 일본에서는 울릉도·독도를 조선령으로 인식하고 있었던 것이다. 판결 직후 "하치에몬은 울릉도를 도해해 엄벌에 처해졌다. 내국인의 외국 도해는 엄히 금하는바, 향후 누구라도 도해해서는 안 된다"라는 경고문인 「죽도^{울릉도}제찰」이 하마다항을 비롯한 주요 해안에 걸렸다.

「태령관지령」은 1877년 당시 일본 최고 국가기관인 태정관太政官이 울릉도와 독도가 일본의 영토가 아니라고 확인한 공식 문서이다. 1877년 당시 입법·사법·행정권 모두를 관할했던 태정관은 울릉도와 독도를 시마네현의 지적地籍에 포함시킬지 여부를 질의한 내무성에 대해 17세 말 에도 바쿠후가 내린 울릉도 도해금지령 등을 근거로 '울릉도 외 일도가 일본과 관계가 없음을 명심하라'는 지령을 내렸다. 따라서 17세기 에도시대에 이미 독도 영유권을 확립하였다는 일본의 주장은 거짓이다.

일본은 「태정관지령」의 존재를 철저하게 은폐했으나 1987년 교토대학 호리 가즈오 교수가 공개했다. 일본의 일부 학자들

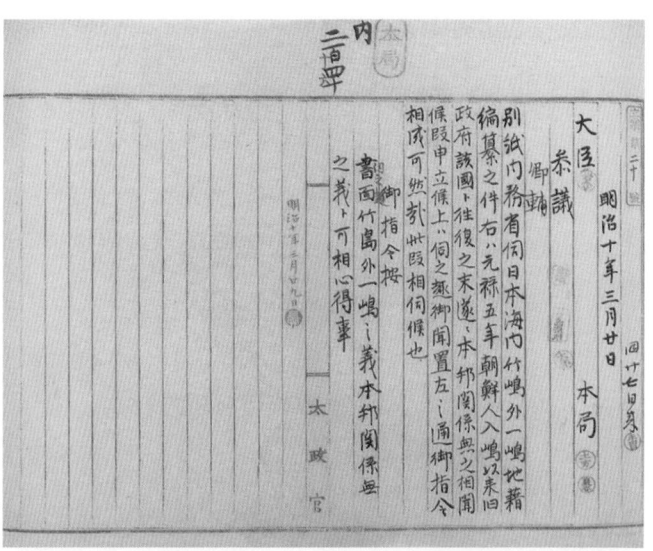

別紙内務省伺日本海内竹嶋外一嶋地籍
編纂之件右ハ元禄五年朝鮮人入嶋以来旧
政府該國ト往復之末遂ニ本邦關係無之相聞
候段申立候上ハ伺之趣御聞置左ニ通御指令
相成可然哉此段相伺候也

御指令按

書面竹嶋外一嶋ノ義本邦關係無
之義ト可相心得事

大臣
　御參議
　御参輔

明治十年三月廿日

本局

太政官

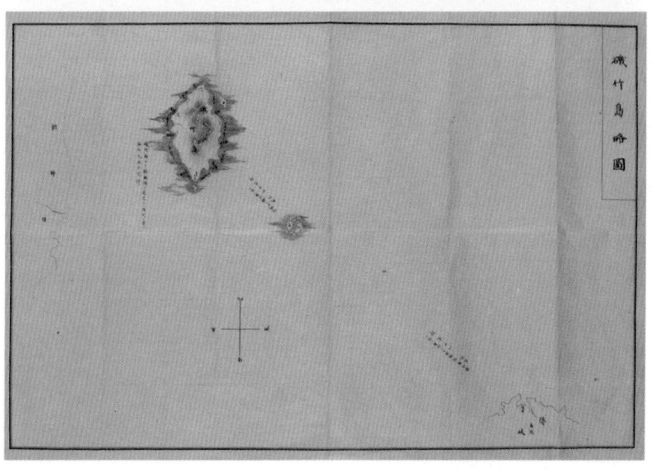

『태정관지령』과 **「기죽도약도」** | 태정관은 울릉도와 독도는 일본 영토가 아님을 분명히 했다.

은 이 지령에 나오는 '일도'는 독도가 아니라고 주장하지만, 시마네현이 내무성에 제출한 「기죽도약도磯竹島略圖」를 보면 '일도'가 송도松島, 즉 독도라는 사실을 명백히 알 수 있다. 필요에 따라 변하는 일본의 역사와 주장이다.

정한론征韓論의 시작

2015년 아베 신조安倍晉三 총리는 종전 70주년 담화에서 러일전쟁을 언급했다. 이 담화는 일본 정부의 역사 인식을 잘 보여준다.

"러일전쟁은 식민지 지배하에 있던 아시아와 아프리카 사람들에게 용기를 불러일으켰다.… 전후 70주년을 맞아 국내외에서 쓰러진 모든 생명 앞에 깊이 머리를 숙이고 '통석의 염'을 표하는 한편 영겁의 애도를 정성껏 바친다."

일본의 역사의식이 여전히 제국주의를 벗어나지 않고 있음을 만천하에 드러낸 것이다. 또 식민지 지배 문제에 대해서도

야스쿠니 신사 │ 제2차 세계대전 A급 전범들도 신으로 모시고 있다.

과거형 간접화법으로 선언적 표현을 하는 데 그쳤고, 반성과 사죄에 대해서도 우회적으로 지적하는 데 그쳤다. 진정한 사죄가 아닌 애매한 '사죄'를 표했을 뿐이다.

"식민지 지배로부터 영원히 결별한다.… 일본은 지난 세계대전에서의 행동에 대해 반복해서 통절한 반성과 진심 어린 사죄의 마음을 표명해 왔다."

그러면서 "역대 내각의 입장은 앞으로도 흔들림이 없는 것"이라며 진정성 없는 태도를 보였다. 무라야마 담화의 4대 키워드식민지 지배, 침략, 사죄, 반성가 담겨 있지만, 주체가 명확하지 않을 뿐 아니라 억지로 끼워 맞춘 느낌이다.

일본 총리의 생각이 어디서 시작된 것인지 근본을 찾아보기로 했다. 아베 총리가 취임하자 주변국에서는 일본 A급 전범들도 신으로 모시는 야스쿠니 신사를 가장 먼저 갈 것이라고 예측했다. 하지만 그가 먼저 찾은 곳은 대동아공영론을 펼쳤던 요시다 쇼인吉田松陰을 모시는 신사였다. 아베는 일본 우익의 창시자이자 정한론의 선봉자인 요시다 쇼인을 가장 존경하며 메이지유신을 재현하겠다고 공공연히 밝혀왔다.

요시다 쇼인은 『일본서기』에 등장하는 진구황후神功皇后의 삼한 정벌 설화를 사상으로 정립해 조선 침탈의 근거로 삼았다. 그는 제자들에게 보낸 편지에서 정한론을 강변했다.

"러시아나 미국 같은 강국과는 신의를 돈독히 해 우호관계를 맺고, 쉽게 손에 넣을 수 있는 조선과 만주, 중국은 영토를 점령해 강국과의 교역에서 잃은 것을 약자의 착취로 메우는 것이 상책이다."

요시다 쇼인이 만든 사설 서당인 쇼카손주쿠松下村塾의 조그만 다다미방에서는 메이지유신의 기운과 제국주의적 야욕이 여러 학생에게 전해졌다. 이들은 조선의 울릉도와 독도를 첫 번째 목표로 삼았다.

요시다 쇼인의 고향이자 쇼카손주쿠 서당이 있는 야마구치현山口県 하기시萩市를 찾았다. 이곳은 아베 가문의 정치적 고

쇼카손주쿠 서당 │ 요시다 쇼인이 세운 사설 서당으로 메이지유신의 요람이 됐다.

향이기도 하다. 일본 인구의 1%가 사는 야마구치현은 일본 총
리만 여덟 명이 배출될 만큼 일본 정치의 중심지이자 일본 우
익의 고향이다. 하기시 주민들도 요시다 쇼인을 존경하며 지

요시다 쇼인과 그의 제자들 | 조선 침략의 전범들이 요시다 쇼인의 제자들이다. 맨 왼쪽부터 시계 방향으로 이토 히로부미, 데라우치 마사타케, 오시마 요시마사, 기시 노부스케이고, 가운데가 요시다 쇼인이다.

역에 대한 자부심이 대단했다. 쇼카손주쿠 관광안내원인 주민은 자랑스럽게 요시다 쇼인에 대해 이야기했다.

"소학교에서는 아침에 수업을 시작하기 전에 쇼인 선생님의 말씀을 일제히 낭송해요. 어릴 때는 어머니와 아버지가 키워주셨지만 소학교에 들어가면 자기 일은 자기가 하라는 가르침이죠. 매일 아침 수업 시작 전에 모두가 낭송하는 거예요."

조선통감부 초대 통감으로 한국 병탄의 기초를 구축한 이토 히로부미伊藤博文, 무단통치로 조선과 한민족을 폭압한 초대 조선 총독 데라우치 마사타케寺內正毅, A급 전범으로 기소되었고 56·57대 일본 총리인 아베 총리의 외할아버지 기시 노부스케岸信介, 경복궁을 무단 점거하고 안중근 의사를 사형대에 세운 아베의 고조부인 오시마 요시마사大島義昌 등 메이지유신의 주역들과 조선 침략의 전범들이 모두 요시다 쇼인의 제자들이다.

아베 노부유키 │ 항복문서에 조인한 마지막 총독.

아베의 사상 저변에는 메이지유신의 주역이자 정한론 원조인 요시다 쇼인에 대한 종교적 정념과 같은 존경심이 깔려 있다. 또 정치·외교에서는 요시다 쇼인과 이토 히로부미를 떠받든 외조부 기시 노부스케의 신념과 정책을 답습하고 있다.

2013년 아베는 "침략엔 정해진 정의가 없다"라는 말로 과거의 침략 행위를 부정했다. 그러면서 그해 말 야스쿠니 신사를 보란 듯이 참배했고, 이듬해엔 일본군'위안부' 연행의 강제성을 부인하는 등 역사 뒤집기를 이어 갔다. 일본이 걸었던 제국주의와 패권주의의 길을 아베 정권도 가겠다는 의사를 표현한 것이다. 2015년 일본을 방문한 앙겔라 메르켈Angela Merkel 독일 총리가 "과거 정리는 화해를 위한 전제"라며 아베 총리에게 한 말을 일본인들은 무겁게 받아들여야 한다.

제국주의적 질서는 20세기 중반에 철저하게 무너졌음에도 아베 정권은 왜곡된 교육정책과 영토 교육으로 21세기에 부활시키려 했다. 과거 일본은 아시아에 진출한 서구 열강을 경계하며 즉각적으로 세력팽창을 꾀하지 못했다. 그러다 유럽에서 제2차 세계대전이 발발하여 서구 열강이 유럽에 집중할 수밖에 없게 되자 '패권 공백'을 놓치지 않고 군국주의를 앞세워 지역 패권국이 되었다. 전후 보통국가를 추진하던 일본은 신냉전의 패권경쟁 속에 놓인 동북아시아에서 새로운 패권국을 꿈꾸며 헌법 개정을 통해 전쟁이 가능한 국가로 나아가고 있다.

일본의 역사교육 그리고 왜곡

야마구치현 취재를 마치고 도쿄로 이동하는 동안 아베 정권의 정책 방향이 요시다 쇼인의 사상과 맞닿아 있고 기시 노부스케의 신념을 따른다면 일본이 꿈꾸는 미래는 과연 어떤 모습인지 매우 궁금했다. 작가에게 내 생각을 전하며 일본의 교과서 검증 문제를 분석해 줄 전문가들을 찾아보기로 했다. 동행한 코디네이터에게도 일본 교육 전문가 섭외를 부탁했다. 이동 중에 여러 곳으로 전화하고 설명을 했지만 정확하게 문제점을 정리하고 인터뷰해 줄 전문가를 찾기 어려웠다. 무리한 부탁을 한 것 같아 미안함에 후회가 일었다.

그들이 전문가를 찾는 동안 나는 도쿄 시내에서 일본인들과 인터뷰를 시도했다. "독도는 당연히 우리, 대한민국의 땅이다.

그런데 정말 일본 사람들은 독도가 일본 땅이라고 생각하는가"라고 질문하자 "다케시마독도를 알고 있는가"라며 되물었다. 몇 년 전까지만 해도 이 질문에 대부분의 일본 사람들은 "잘 모르겠다"라고 답했다. 다케시마독도라는 단어조차 생소해했다. 하지만 일본의 교육정책이 변하고, 지속적인 언론 보도의 영향으로 많은 사람과 학생들이 독도를 알고 있었다. 또 정확히 알지는 못하더라도 다케시마독도는 들어본 것 같다고 말했다.

"다케시마? 오키나와 근처 아닌가요?"

"일본해 중간쯤 아닐까?"

"일본과 중국 사이 아닌가?"

"어린 학생들은 배울지 모르지만 제가 고등학생 때인 5~6년 전에는 보지 못했어요."

"교과서에서 본 적이 있습니다."

"섬 이름 정도는 압니다."

"저는 별로 신경 쓰지 않아서…. 다케시마가 어느 쪽의 것이든 상관없습니다."

과거보다 독도를 알게 된 일본인들이 많아지고 있는데 그 비율은 어느 정도일까? 도카이대학 국제학과 김경주 교수는 최근 들어 많은 일본인이 독도를 인지했다고 한다.

"일본인에게 다케시마독도에 대해 알고 있는가 하고 물으면 세대마다 큰 차이를 보입니다. 보통 30대 이상 특히 40대 이상은 뉴스 등을 통해 어느 정도 알고 있지만, 20대나 30대 중반은 거의 모릅니다. 요즘 뉴스에서 많이 나오니까 다케시마독도에 문제가 있나 보다 하는 정도이지요. 그리고 다케시마독도라는 명칭도 2005년 이후에나 인지했을 겁니다. 제가 그동안 일본에 살면서 느낀 대로 예상해 보면 만약 2005년 이전에 여론 조사를 했다면 아마 20%도 안 됐을 겁니다."

독도에 관심조차 없는 사람들이 대부분이었다는 것이다. 최근 일본 정부와 우익 단체들이 독도에 대한 발언 수위를 높이고 있는 가운데 일반인들도 서서히 인식하고 있고, 이를 이용하여 교과서에 역사 왜곡을 진행하는 것으로 보였다.

1982년 7월, 일본 문부성은 1983년 4월 이후 사용할 고등학교 역사 교과서를 공개했다. 한국의 고대사, 근대사, 현대사를 왜곡·기술한 것이 문제가 되었다. 특히 현대사 부분을 가장 심각하게 왜곡하였는데 예를 들어 한국 '외교권 박탈과 내정 장악'을 '접수'로, '토지 약탈'을 '토지소유권 확인'이나 '관유지로 접수'로, '독립운동 탄압'을 '치안 유지 도모' 등으로 호도하

일본 교과서 | 일본 공민 교과서에 왜곡 기술된 독도 지도

였다. 이 외에 '조선어 말살정책'을 '조선어와 일본어를 공용어로 사용', '신사참배 강요'를 '신사참배 장려' 등 모호한 단어와 말로 자신들의 오점을 감추었다. 한국 언론은 일본 정부 당국의 처사를 강력히 비판하면서 시정을 촉구하였으나 일본 정부 관리들은 "한국의 역사 교과서에도 오류가 있는 것 같다"라며 화를 더욱 부추겼다.

이로 인해 한국에서는 대대적인 반일운동이 전개되었다. 그러자 한국 정부는 일본에 교과서 왜곡 시정을 요구하고, 한일 경제협력회담을 취소하는 한편, 시정을 촉구하는 비망록을 전달하며 강경하게 대응하였다. 상황이 악화하자 일본 정부는 1982년 8월 26일 한국 정부에 문제가 된 부분의 시정을 약속하고, 11월 24일 새로 개정된 〈교과서 검정 기준〉을 확정 발표하는 등 보완조치를 취함으로써 이 사건은 마무리되었다. 이때만 해도 일본의 교과서 왜곡은 식민지배의 역사적 사실에 대한 것이었다.

그런데 2000년대 초반에 접어들면서 일부 역사 교과서에 "다케시마독도는 일본 영토"라는 표현이 등장하기 시작했다. 2015년 3월에 발표한 중학교 교과서 검정 결과는 한국을 경악게 했다. 특히 독도가 일본 고유영토이며 한국이 불법 점거하고 있다고 기술한 사회과 교과서가 77%나 되었으며, "다케시마독도에 대해서 일본은 평화적인 해결을 목표로 국제재판소

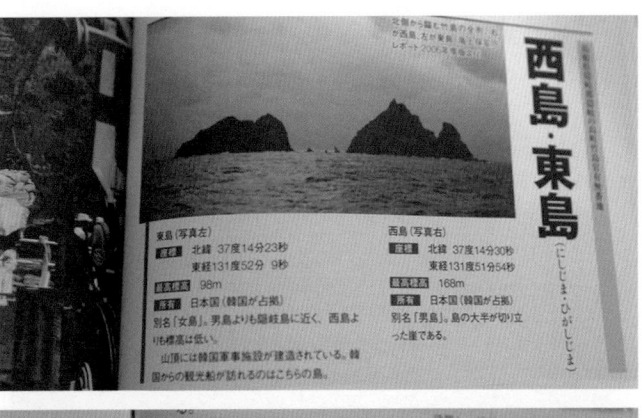

西島・東島（にしじま・ひがしじま）

東島（写真左）
位置　北緯 37度14分23秒
　　　東経131度52分 9秒
最高標高　98m
所有　日本国（韓国が占拠）
別名「女島」。男島よりも隠岐島に近く、西島よりも標高は低い。
山頂には韓国軍事施設が建設されている。韓国からの観光船が訪れるのはこちらの島。

西島（写真右）
位置　北緯 37度14分30秒
　　　東経131度51分54秒
最高標高　168m
所有　日本国（韓国が占拠）
別名「男島」。島の大半が切り立った崖である。

実力で占拠　ところが対日講和条約が発効する直前に、韓国李承晩政権は、一方的に日本海に『李承晩ライン』を設定し、竹島を自国領としてとりこみ、違反したとする日本漁船に銃撃、拿捕、抑留などを実施した。1954 年には、沿岸警備隊を派遣し、竹島を実力で占拠した。現在も、警備隊員を常駐させ、実力支配を強化している。

韓国政府の見解　韓国が竹島の領有を主張する理由は、①竹島は韓国名獨島で、固有の領土である、②日本は力で日本領に編

設し、採掘しはじめた。…EEZの海底につながっており、…源の権取りではないか、…求めている。

…ことは歴史文献…の二つの主張は…成り立たないと…題を平和的に解…国際司法裁判所…いるが、韓国政…

竹島（たけしま）　韓国（かんこく）が占領中

일본교과서의 독도 기술 | 독도를 일본 고유 영토라고 왜곡하여 기술하고 있다.

에 제소를 요구하지만 한국은 이를 완전히 거부하고 있다"라고 기술하였다. 이로 인해 한국 내에서는 반일감정이 끓어올랐다. 이러한 교과서 왜곡은 독도, 남쿠릴열도, 센카쿠제도등을 일본의 고유 영토라고 기술하여 교과서를 만들라는 일본 정부의 방침에 따른 것이었다.

일본 정부는 일본군'위안부', 독도, 일제강점기의 침략 관련 내용을 완전히 왜곡한 18종의 중학교 사회 교과서에 대해 출판을 허가했다. 그 내용들을 살펴보면 '동해'를 '일본해'로 표기했다. 일본 정부는 교과서 왜곡을 통해 자신들이 거짓사실을 가르침으로써 미래 세대도 그 주장을 이어가길 바라고 있다. 일본과 우리나라 교과서에 실린 독도에 관한 내용의 일부를 비교해 보자.

<일본 고등학교 역사교과서 '일본사 B'의 독도 관련 내용>

제목: 새로운 국제질서와 일본의 역할일본이 안고 있는 영토 문제

내용: 다케시마독도는 시마네현 오키섬 북서쪽 약 157킬로미터에 있는 두 섬과 수십 개의 암초로 구성되어 있다. 옛날에는 송도라고 불렸던 무인도로 에도시대부터 일본인이 어업개척하였다. 1905년메이지 38 정부는 정식으로 영유를 확인하고 시마네현에 편입했다. 1952년쇼와 27 한국의 이승만 대통령은 국제

법을 무시하고 연안에서 60해리까지 주권을 주장하고[이승만 라인] 다케시마[독도]도 이에 포함된다며 점령했다. 이후 한국은 불법 점거를 계속하고 있다.

－ 출처: 삼성당, 『일본사 B 개정판』

<우리나라 고등학교 역사 교과서 '동아시아사'의 독도 관련 내용>

제목: 영토를 둘러싼 문제[대한민국의 독도 영유]

내용: 독도는 울릉도의 부속 도서로서 신라 때부터 영유하였고, 조선 숙종 때에는 안용복의 활약으로 조선의 영토임을 인정하였다. 1900년 대한제국은 칙령 제41호로 조선 고유의 영토임을 명확히 하였다. 제2차 세계대전에서 일본이 패전한 후 대한민국 정부가 다시 영토주권을 행사하고 있다. 그러나 일본은 부당하게 영유권을 주장하고 있다.

－ 출처: 금성출판사, 『비상교육』

양국의 인식 차이를 여실히 보여준다. 일본 교과서를 보면 일본 외무성의 주장이 교과서에 그대로 옮겨져 있다.

2000년대 초 일본 교과서에 조금씩 등장하던 한국의 독도는 이제 모든 교과서에서 왜곡되어 기술되고 있다. 앞으로가 더 문제다. 일본의 미래 세대는 점점 더 강하게 왜곡된 교과서로 교육을 받을 것이다. 역사적 사실이 아닌 일본 정부의 입맛에 맞게 왜곡된 잘못된 교육으로 양국은 더욱 멀어질 것이다.

2014년에 바뀐 일본 사회과 교과서 검정 기준의 3대 기본 방향을 보면, '확정되지 않은 시사적 사실의 경우 사실을 강조해선 안 되고, 통설적 견해가 없는 수치에 대해서는 통설적 견해가 없다는 것을 명시하고, 정부의 통일적 견해에 의거해 기술'해야 한다. 특히 주목할 부분은 '정부의 통일적 견해에 의거해 기술할 것'이라는 부분이다.

다와라 요시후미俵義文 〈어린이와 교과서 전국 네트워크 21〉의 사무국장은 사회과 교과서 3대 검정 기준을 이렇게 해석했다.

"중·고등학교 사회과 교과서에서 다케시마독도든 북방영토든 센카쿠제도든 모두 일본 고유 영토라고 반드시 쓰라는 겁니다. 다케시마독도에 대해서는 일본은 평화적인 해결을 목표로 국제재판소에 제소하려 하지만 대한민국이 그것을 완강히 거부하고 있다고 반드시 써야만 한다는 거죠. 아베 정권이 2006년에 개악한 교육기본법에 교육 목표가 있어요. 예를 들어 애국심에 관한 내용을 제대로 쓰지 않았다고 간주하면 일절 심사하지 않고 불합격한다는 규정을 만든 거예요."

시간이 지날수록 왜곡은 점점 심해져 2018년 7월에 발표한 학습지도요령우리의 교육과정에 해당함해설서에는 지리총합의 경우 독도가 일본 영토이고 대한민국이 불법 점거하고 있다는 점, 역사총합의 경우 일본이 국제법상 정당한 근거를 가지고 영토로 편입한 경위를 언급하도록 했다. 2022년 개편된 지리총합 등 일부 고등학교 사회과목에서 독도는 일본 고유영토라고 가르치라는 학습지도요령을 2018년 3월 30일 고시했다. 일본이 이 같은 일방적인 독도 영유권 주장을 교과서에 싣고 학생들에게 가르치면 일제강점기 강제동원이나 일본군'위안부' 동원 등 역사 문제로 악화된 한일 관계를 더 어렵게 할 가능성이 있다.

왜곡된 교과 과정을 통해 교육을 받은 이들은 진실보다는 자신들이 배운 내용에 더욱 충실할 것이며, 앞으로의 교육은 더욱 왜곡될 것이다. 국제사회의 일원으로 일말의 책임감이라도 있다면 이런 왜곡 행위는 절대 해서는 안 된다. 자신들의 안위와 정권 유지를 위해 미래 세대에게 더 큰 짐을 지우는 것이 어떤 의미인지 일본은 아직 모르는 것 같다. 알고 있다면 절대 그리하지 않을 것이다. 일본이 대한민국과 중국에 적대적 관계로 대립하는 것은 동아시아의 평화와 번영에 어떤 도움도 되지 않는다.

일본 교과서 취재를 이어 가던 중 모 방송사 도쿄 특파원으로 근무하는 선배의 도움으로 일본 우익단체인 '잇스이카이일수회, 一水会' 대표 기무라 미쓰히로木村三浩와 약 1시간 동안 인터뷰를 하게 되었다. 인터뷰 장소는 도쿄 아카사키의 TBS東京放送였다. 우리는 그에게 일본 교육의 우경화와 역사 인식에 대해 어떤 견해를 갖고 있으며, 독도로 인해 한국과 관계가 나빠지고 있는데 그 문제는 어떻게 생각하는지 물었다. 역시나 일본 우익단체의 대표다운 답을 내놓았다.

"국외에서 활동하는 일본인이 증가하고 있는 상황에서 일본사를 제대로 이해하는 인재를 키워야 합니다. 현재 일본 고등학교에서는 일본사가 선택과목으로 되어 있습니다. 그렇기에 고등학생 중 30~40%가 일본사를 공부하지 않은 채 졸업한다고 문부과학성은 발표했습니다. 시모무라 하쿠분下村博文 문부과학상은 역사교육을 더욱 강화하는 방향으로 교육을 전환합니다. 그러기 위해서는 일본사를 반드시 필수 과목으로 전환해야 하며, 과거사 관련 부분은 일본 정부의 견해가 반영되게 교과서 검정 기준을 개정해야 합니다. 그리고 일본 정부는 다케시마독도를 불법 점거한 한국에 강력히 대응해야 합니다. 다케시마독도, 센카쿠, 북방영토는 일본의 영토이므로 일본 정부는 반드시 지켜내야 합니다."

논쟁을 벌이고 싶었지만 그렇게 하지 못했다. 왜냐면 내가 일본어를 할 줄 몰랐기에 그가 한 말의 내용은 그의 표정을 보고 짐작만 했다. 불편한 인터뷰였지만 일본의 교육과 교과서가 어느 방향으로 흘러가는지 짐작할 수 있었다.

인터뷰를 마무리하고 기무라 미쓰히로를 배웅하는데 뒤쪽에서 웅성거리는 소리가 들렸다. 마침 TBS 외부에서 행사를 진행하는지 많은 사람이 오가고 있었다. 우리는 기무라 미쓰히로 대표를 보내고 1층 현관 앞 파라솔 밑에 앉아 오늘 촬영한 내용을 이야기했다. 그때 카메라 기자 두 명이 ENG Electronic News Gathering 카메라를 들고 급히 뛰어왔다. 그러고는 뒤이어 기자로 보이는 서너 명이 다른 곳에서 뛰어와 카메라 기자들과 뭔가를 상의했다. '주변에 유명 연예인이라도 있나' 하며 주변을 두리번거렸으나 행사 진행요원들뿐이었다. 한참 동안 두리번거리던 기자들이 우리 쪽으로 다가와 선배를 아는 척하며 기무라 미쓰히로 대표의 행방을 물었다. 선배가 돌아갔다고 답하자 TBS 기자들은 한숨을 내쉬며 사무실로 올라갔다.

숙소로 이동해 오늘 촬영분을 정리하여 송고하고 바쁘게 움직이다 보니 어느새 저녁 식사 시간이 되었다. 섭외부터 인터뷰 장소까지 제공해 준 선배에게 고마움의 표시로 식사 약속을 잡고 약속 장소로 이동했다.

TBS 도쿄방송이 있는 아카사카 거리를 걸으며 일본의 문화를 생각해 보았다. 불현듯 '이중성'이라는 단어가 떠올랐다. 일본을 말할 때 흔히 '다테마에建前'와 '혼네本音'를 든다. '다테마에'란 쉽게 말해 '가면' 같은 것이고, '혼네'란 가면 속에 가려진 '본심'이다. 집단 구성원 간에는 혼네가 존재하지만, 집단

아카사카 가는 길 | 화려한 아카사카 거리

밖 외부인에게는 완벽한 다테마에만 존재한다. 따라서 혼네를 공유하는 집단의 결속력은 강하지만, 집단에서 혼네를 어기면 따돌림을 당하게 된다.

일본은 대한민국과 독도에 어떤 다테마에를 보이며 어떤 혼네를 갖고 있을까? 일본 정부가 미래 세대를 교육하는 것을 보면 역사 왜곡에서 끝날 것 같지 않다. 아직도 제국주의의 망령을 붙들고 있다는 생각이 들었다. 일본은 아직도 대한민국을 식민지로 생각하고 다시 제국주의 시절로 돌아가야 한다는 망상에 사로잡혀 있는 듯하다. 교육을 통해 왜곡된 역사와 비틀어진 욕망을 심어주고 후세들이 이어 가고 더욱 발전시켜 '대동아공영'을 이루기를 바라는 것이 이들의 혼네가 아닐까.

저녁 식사 자리에서 선배가 호쾌한 웃음을 날리며 맥주잔을 치켜들고 나를 쳐다보았다.

"TBS에서 봤던 기자들 있잖아. 걔들이 왜 허겁지겁 뛰어나온지 알려줄까. 기무라 미쓰히로는 섭외하기가 쉽지 않은 사람이야. 웬만한 이슈로는 꼼짝하지 않는 사람인데 우리랑 있는 걸 본 거야. 그래서 우릴 보고 그렇게 씩씩댔던 거지."

당시 기무라 미쓰히로가 대표로 있던 잇스이카는 기존의 일본 우익과는 결이 달랐다. 대미 종속에서 벗어나 확실한 '군대'를 가져야 한다고 주장하며, 보통국가를 만들기 위해 미일동맹을 강조하는 아베 신조를 매국노로 불렀다.

"집단적 자위권 행사가 가능한 안보 법안을 만들어 미국의 종속에서 벗어나야 한다. 미국의 그늘에서 벗어나 자립하기 위해서 주일 미군은 반드시 철수해야 하며, 러시아와 평화조약을 맺고, 그 이후에 북한과도 관계 정상화를 해야 한다."

기무라 미쓰히로는 아베 정권을 비판하는 인터뷰와 칼럼을 쓰는 일본 내 이슈 메이커로 유명한 자였다. 극우 세력들의 살해 협박으로 모습을 잘 보이지 않는 일본 언론의 인터뷰 1호 대상자가 알지도 못하는 한국의 다큐멘터리 제작팀과 인터뷰를 하니 TBS 보도국이 발칵 뒤집힌 것이다.

TBS 보도국에서는 처음에 기무라 미쓰히로가 방송국에 나타난 것을 보고 출연 프로그램이 끝나면 인터뷰를 하려고 준비했다고 한다. 그런데 섭외한 곳을 수소문해도 찾을 수가 없자 건물을 전부 뒤지고 다닌 것이다. 겨우 1층에서 찾아냈지만 그마저도 놓치자 "데스크한테 박살이 났다"라며 당황했던 것이다.

여기서 데스크는 보도국의 부장급 이상의 간부로 보도 편집이나 방향 등을 지휘하는 사람이다. 데스크는 보도 내용과 제목을 지정 또는 수정할 수 있고, 보도 여부를 결정할 수 있으며, 기자들의 목숨을 쥐락펴락할 수 있는 막강한 영향력을 가진 사람이다. 내가 속한 PD라는 집단에서는 CP^{Chief Producer}와 같다.

데스크는 한국에서 온 다큐멘터리 제작팀이 섭외하는데 너희들은 왜 못하냐며 혼을 냈다고 한다. 동종업계에 일하는 사람으로 미안한 마음도 들고 "섭외 능력을 키워야 하지 않을까" 하며 입꼬리를 올렸다. 후에 들은 이야기지만 거의 2주간 데스크의 호통이 계속돼 TBS 보도국은 살얼음판이었다가 선배의 도움으로 인터뷰에 성공해 그 공포에서 벗어날 수 있었다고 한다. 이후 TBS 보도국 사람들은 선배만 보면 고맙다는 인사를 잊지 않는다고 한다.

이튿날, 오전 촬영을 마치고 점심 식사 중 오후에 인터뷰 약속을 한 마고사키 우케루孫崎享 전 일본 외무성 국장이 날짜를 변경하고 싶다고 전화를 했다. 다시 인터뷰 일정을 조정하니 오후 일정이 비고 말았다. 빈 오후 시간에 도쿄 풍경을 촬영하기 위해 여러 곳을 둘러보았다. 일본 국회와 일왕의 거처, 메이지유신기념관 등을 촬영할 때 공원에서 아시아인의 문화화합 교류 행사가 열리고 있었다. 일본을 중심으로 아시아 각국이 우호 연대하자는 취지로 행사장 각 부스에서 각 지역에 대한 홍보가 한창이었다.

일본 중심의 문화교류라…. 또 무슨 짓을 꾸미는 것일까 하는 의심의 눈초리로 공원을 둘러보는데 저 멀리서 굉장히 낯익은 사람이 보였다. 가까이 다가가니 스즈키 노부유키鈴木伸之였다. 그는 2012년 6월 22일 주한 일본 대사관 앞 평화의 소녀상에 '다케시마는 일본땅竹島は日本領'이라는 문구가 적힌 말뚝으로 테러를 한 자로, 일본군'위안부' 피해자들에게 막말을 서슴없이 내뱉었다.

당시 보도를 보면 '다케시마독도는 일본 땅'이라는 문구가 적힌 말뚝을 서울 마포구 전쟁과여성인권박물관 정문과 서울 서대문구 동북아역사재단 앞에 붙였다. 전쟁과여성인권박물관 후문에는 "위안부=성노예라는 거짓말을 그만해라!"라는 벽보도 붙었는데 벽보에는 스즈키가 활동하고 있는 우익정당 '유신정당 신풍'의 이름이 적혀 있었다.

스즈키 블로그는 망언으로 도배되어 있다.

이명박 대통령의 천황 사과 요구에 반격! 서울에 다케시마독도 비 4개! 전쟁과여성인권박물관은 한국의 망신, 동북아역사재단은 한국 정부의 대일공작기관이며 한국의 거짓말 출처, 오늘은 한일합방한일 강제병합, 1910년 8월 22일이 체결된 날, 이명박 대통령이 천황에 한 불경스러운 발언을 결코 용서할 수 없다.

스즈키의 망언은 이명박 대통령이 한국교원대에서 열린 '학교폭력 근절을 위한 책임교사 워크숍'에서 일왕을 향해 "독립운동으로 돌아가신 분들에게 진심으로 사과할 거면 한국에 오라. '통석의 념' 같은 단어나 말할 거면 한국에 올 필요 없다"라고 한 발언을 겨냥한 것이다.

스즈키의 행동을 취재한 당시 뉴스를 보고 한참 동안 욕했던 기억이 난다. 여기서 이런 자를 만나다니 알 수 없는 세상이다. 스즈키는 아시아의 문화화합을 호소하는 행사에 유독 한국에만 날 선 반응을 보이며 중간중간 한국에 욕을 했다. 그러다가 뭔가 재미있는 일이 터지겠다는 생각이 들어 바로 섭외하여 인터뷰했다. 바로 독도 문제를 어떻게 생각하느냐고 물었다.

"한국이 다케시마독도를 돌려주지 않기 때문에 문제가 발생했어요. 한국과 일본이 우호를 회복하려면 그 문제가 해결돼야 해요. 한국이 다케시마독도를 돌려줘야 우호에 대해 말할 수 있는데 지금은 가능성이 없다고 생각해요."

혼자서 만든 극우 정당의 대표이기도 한 스즈키 노부유키는 참의원 선거에서 세 번째 탈락해 생활이 힘들다고 한다. 차기 참의원 선거 도쿄선거구에 또다시 도전하려 하지만 홍보력이 미약해 계속해서 반한정서를 자극하는 행동을 하는 자이다. 대한민국 법원에 기소되었지만 여전히 소환에 응하지 않고 있다. 일본 정부가 대한민국에 강경한 노선을 취해야 한다는 말을 공공연히 하는 스즈키 노부유키를 보며 일본의 교과서 왜곡이 쉽게 해결되지 않을 것이란 생각이 들었다.

일본 최고의 국제정보전문가로 불리는 전 외무성 국제정보 국 국장 마고사키 우케루는 아베 내각의 강경 일변도 정치와 행위에 대해 독도나 교과서 문제 모두 일본 내부 정치 문제, 즉 지지율과 정권 연장에 초점이 맞춰진 것으로 향후에 더욱 거 세질 것이라 예측했다.

"외부에 대해 강경 발언을 하는 정치가 지지를 받고 있습니다. 이런 시대가 되었어요. 아베 총리는 이런 정치 수법을 이용하여 처음에는 한국, 이어서 중국을 적대시하는 정책으로 지지를 끌어냈습니다. 한일 관계는 지금 기본적으로 소강상태이지만 정권의 흐름상 대외적으로 강경한 노선을 택해 지지를 받을 겁니다."

한국의 역사교육

현재까지 일본 정부의 교육정책은 왜곡의 폭을 넓히며 강도를 높이고 있다. 2015년 1월 일본 문부과학성은 기자회견을 통해 중·고교 교과서 제작과 교사의 지도 지침인 학습지도요령 해설서에 독도를 '우리나라 고유의 영토'로 명기했다고 밝혔다. 학습지도요령 해설서는 각 학교에서 실제로 가르쳐야 하는 내용과 세부 사항의 시행규칙으로 교과서 검정 때 상당히 큰 영향력을 발휘할 것으로 보인다. 이렇듯 일본의 독도 관련 교육정책이 강화됨에 따라 우리나라에서 실시되는 독도 교육도 현행보다는 보강되어야 한다는 견해도 있다.

서울의 한 고등학교에서 우리는 조금 특별한 설문 조사를 해보기로 했다. 학생들은 독도에 대해 어떤 생각을 하는지 알

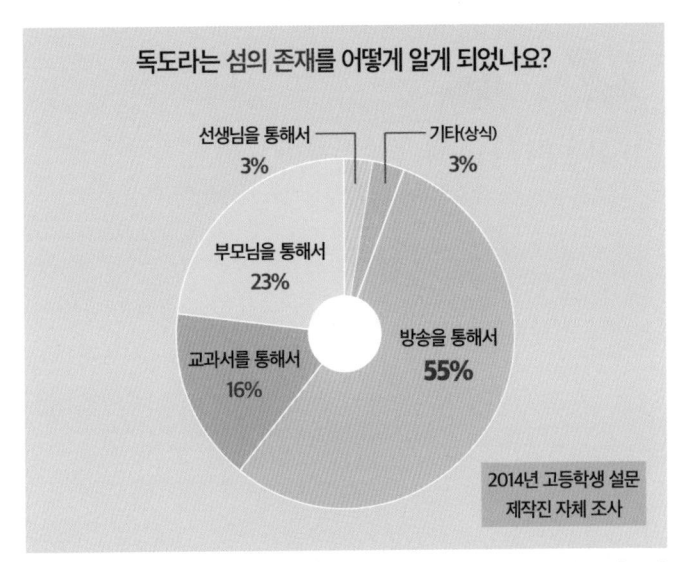

독도라는 섬의 존재를 어떻게 알게 되었나요?

선생님을 통해서
3%

기타(상식)
3%

부모님을 통해서
23%

교과서를 통해서
16%

방송을 통해서
55%

2014년 고등학생 설문
제작진 자체 조사

고등학생 400명 대상 독도 인지도 조사 결과 | 방송과 영상을 통한 홍보가 보다 효과
적임을 알 수 있다.

아보았다. 총 400명의 고등학생을 대상으로 교육, 역사 등 각
계 전문가들이 발췌한 독도 관련 질문 20개를 했는데 그중 '독
도라는 섬의 존재를 어떻게 알게 되었나요?'라는 질문에 '교과
서를 통해서'라고 답한 학생의 비율이 16%인 데 반해 '방송을
통해서'라고 답한 학생은 무려 55%에 이른다.

교과서보다는 방송과 영상을 통해 정보를 접하는 비율이 높
아 교육 현장에서 시청각교육을 통해 전달하는 것도 좋은 방
법이라 생각했다. 일선에서 학생들에게 독도 교육을 담당하고

있는 선생님들도 다양한 의견을 제시해 주었다.

"아직 깊이 있는 교육이 이루어지지 않고 있다고 생각해요. 교과서로만 배우니까 학생들이 집중하기 어렵기도 하고요."

"교과서에 나오는 내용이 한 페이지 정도이다 보니 학생들이 흥미를 가지지 못한다고 생각해요. 내용을 더 늘렸으면 좋겠어요."

"학생들이 독도가 왜 우리 땅인지 교과서 내용만으로는 충분히 설명할 수 없다고 생각하거든요. 그렇기에 이 점을 설명할 수 있을 정도의 내용이 교과서에 기술되어야 한다고 생각합니다."

전문가들 중에는 교육과정에 변화를 주어야 한다는 의견도 있다. 한국의 중고등학교 교육과정에 역사·지리 시간에 독도 교육이 있는데 사회, 정치, 경제, 한국지리 시간에도 독도 관련 교육이 필요하고, 반드시 넣어야 한다는 것이다.

취재 도중 대구 영남고등학교에서 독도와 관련해 조금 특별한 교육과 활동이 이루어지고 있다는 제보를 받고 찾아가 보았다. 수업 시간에 이루어지는 독도 관련 교육 외에 학생들은 자발적으로 독도동아리를 조직하고 활동하며 독도를 몸소 경험하고 있었다. 학생들은 우리 땅 독도를 좀 더 알기 위해 꾸준히 독도에 관해 공부하고, 독도를 탐방하는 등 독도와 관련된 다양한 활동을 열정적으로 펼치며 독도 사랑을 키우고 있었다. 독도동아리에서 활동 중인 한 학생에게 동아리에 참여하게 된 이유를 묻자 비장한 표정을 지어보였다.

"'독도는 우리 땅'이라고 하지만 우리 땅인 역사적 근거가 무엇인지, 일본의 주장에 어떻게 논박해야 하는지 몰랐거든요. 그런데 이걸 독도동아리 하면서 자료도 찾아보고, 역사 공부도 하면서 일본의 주장이 너무 터무니없다는 걸 알게 됐어요. 그래서 반드시 독도를 빼앗기지 않겠다고 생각하게 되었어요."

일본은 정부가 나서서 독도 관련 자료를 교과서에 싣고, 교과서 내용을 반드시 가르치라고 지침을 내리고 있다. 우리나라도 보다 체계적인 교육을 통해 학생들이 독도에 대한 자기주장을 펼칠 수 있고, 왜 독도가 대한민국의 영토인지 논리적으로 설명할 수 있도록 해야 한다. 최근에는 민간과 청소년들을 중심으로 이론적 무장을 강조하며 애정을 키울 수 있는 활동들이 꾸준히 이어지고 있다.

러시아 루데엔대학교 법학부 아바쉐제 교수는 일본의 독도 영유권 주장을 억지주장이라고 일축하는 한편, 일본의 어린 세대의 위험성을 경계했다.

"일본의 어린 세대가 자라면서 한국·중국·러시아에 적대적인 감정을 갖는다면 문제 핵심을 모르면서 적대감만 가진 세대로 자랄 것입니다. 이러한 세대가 나중에 정상적인 통상이라든가 인적 교류를 할 수 있을까요? 러시아 속담에 '사탕이라고 말한다고 해서 입안이 달게 되지는 않는다'라는 말이 있습니다. 일본 정부가 교과서에 독도가 일본 땅이라고 열 번 백 번 쓴다고 해서 독도가 일본 땅이 되지는 않습니다."

우리나라는 역사교육을 어떻게 해야 할까? "역사를 알면 세상을 알 수 있다"라고 말하는 사람도 있다. "역사를 통해 미래를 배운다"라는 말처럼 균형 있는 교육은 꼭 필요하다. 역사교육의 중요한 목적 중 하나가 사회에 대하여 올바르게 인식하고, 사회모순을 해결하는 데 능동적으로 참여하여 발전적이고 주체적인 자세를 갖게 하는 데 있다. 근현대사 교육의 중요성은 오랫동안 강조되었다. 우리 역사에서 특히, 근대로 이행하는 과정에서 제국주의의 침략을 받아 식민지가 되고, 광복 이후에는 민족의 분단으로 이어지는 과정은 현재 사회의 성격을 규정짓는 가장 중요한 요인으로 작용하고 있다. 그렇다고 근현대사 교육이 중심이 되어서는 안 된다. 한국사 전반의 변화를 이해하고 비판적인 사고를 기르는 데 중점을 두어 사회를 올바로 인식하고 모순을 해결하는 능력을 기르게 해야 한다. 또한 대내외적인 역사 현안에 대응할 수 있도록 교육 내용을 조정하는 유연성도 필요하다.

러일전쟁과 '다케시마'의 날

　섬나라 일본은 대륙으로 진출하기 위해 정한론을 펼쳤다. 과거 임진왜란 때는 조선에 명나라로 가는 길을 내달라는 명분으로 한반도를 침략했고, 1895년 청일전쟁 이후에는 한반도를 대륙 진출의 교두보로 삼기 위해 수많은 계략을 획책했다. 특히 독도는 러시아 해군의 남하를 견제할 수 있는 최적의 전략 요충지였다.

　남하정책을 펼치던 러시아는 독도와 울릉도에 관심을 갖게 되었다. 그리하여 1854년 독도를 발견한 이후 1856년에 전략적으로 이용하기 위해 재조사를 실시했고, 1857년 독도가 기록된 『조선동해안도』를 발행하면서 한반도 연안에 독도를 표시하였다. 러시아는 1854년 독도를 발견한 직후부터 조선

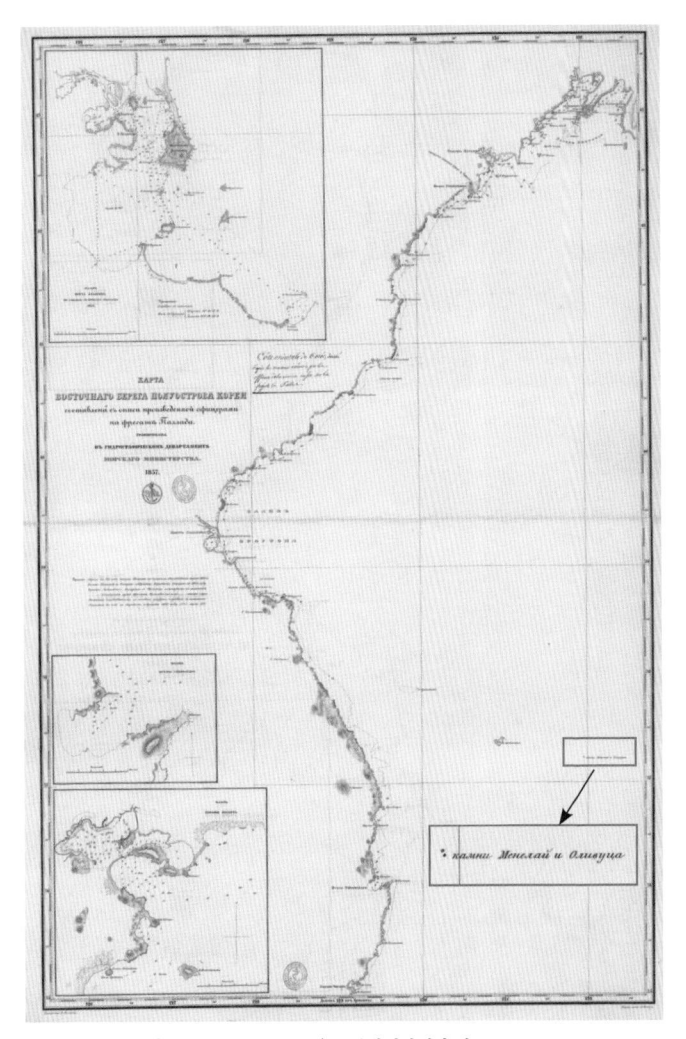

1857년 조선동해안도(러시아 해군 수로국) │ 동북아역사재단 제공

의 영토로 인식하고 있었으며, 이후에도 이 시각은 변하지 않았다.

일본은 한반도 동해안 지도를 만들 때 러시아가 만든 『조선동해안도』를 기초로 했다. 결론적으로 러시아가 일본에 자료를 제공한 셈이었다.

러일전쟁 초기에 일본 해군은 당시 막강한 전력을 자랑하는 러시아 해군의 기세에 눌려 동해의 제해권을 장악하지 못하고 있었다. 위기를 느낀 일본 해군은 모든 군함에 무선 전신을 설치하고, 러시아 함대의 동태를 살피기 위해 울진군 죽변에 망루를 설치하였다. 이후 추가로 울릉도 동북부와 서북부에 각각 망루를 설치하고, 죽변 망루와 울릉도 망루를 연결하는 해저 전선을 완공하였다. 죽변항에서 울릉도까지의 거리는 직선 거리로 130.3km로 일본 해군이 조선의 동해를 완벽하게 파악하고 전쟁을 준비했음을 알 수 있다. 지금도 죽변항에 가면 최단 거리를 측정했던 바위가 있다.

이 시기 일본 해군은 한국 해안 전역에 20개의 망루를 설치하였다. 특히 독도의 군사적 가치에 주목하고 1904년 9월 니타카마루新高丸가 예비 탐색을 시도했다. 이후 일본 해군성과 외무성을 중심으로 망루 설치 공작이 시작되었다. 일본 정부는 강치 사냥꾼 나카이 요자부로中井養三郎에게 독도 어업을 허락하며 이를 빌미로 독도를 불법으로 편입했고, 1905년 2월

죽변등대 | 일본 망루터에 세워졌다.

22일 독도 영토 편입을 고시했다.

러시아의 기본 전략은 발트함대를 블라디보스토크로 보낸 후 태평양함대와 합세하여 압도적인 해상전력을 바탕으로 일본 함대를 격파하는 것이었다. 발트함대가 극동으로 가기 위해서는 수에즈 운하를 거쳐야 했지만 당시 일본과 동맹을 맺은 영국의 방해로 통과할 수 없게 되자 유럽을 돌아 아프리카, 필리핀, 중국을 거쳐 대한제국에 이르는 대장정을 해야 했다.

1904년 10월 14일, 전함 7척, 순양함 7척, 보조 순양함 5척, 구축함 9척 등 총 38척의 전투함과 26척의 수송함으로 전략을 갖춘 발트함대는 상트페테르부르크 인근 리바우항을 출발하여 블라디보스토크로 향했다. 그러자 일본 해군은 발트함대가 블라디보스토크로 들어가기 전에 격파해야만 승산이 있다고 결론을 내렸다. 만일 발트함대가 태평양함대와 합류한다면 일본의 패전은 불을 보듯 뻔한 일이었다.

이제 일본 해군은 어느 길목에 덫을 놓아야 할지 결단을 내려야 했다. 발트함대가 블라디보스토크에 가기 위해서는 한국과 일본 사이의 대한해협, 혼슈와 홋카이도 사이의 쓰가루해협, 홋카이도와 사할린 사이에 있는 소야해협 중 하나를 통과해야 한다. 일본 해군은 세 곳 모두를 봉쇄하기에는 전력이 부족했기에 천운에 맡기는 수밖에 없었다. 일본 해군은 최단 항로인 대한해협을 통과할 것이라고 결정하고 국가의 명운을 걸었다. 실제로 발트함대는 대한해협을 선택했다. 전 세계는 불곰에 달려든 생쥐의 무모함에 혀를 찼으나 1905년 5월 27일 전투가 시작되고 48시간도 지나지 않아 일본의 승전문이 전송되었다.

"27일 연합함대의 주력은 남은 적을 계속 추격함. 28일 리앙코르도암리앙크르도巖, 독도 부근에서 적함 니콜라이 1세·오리욜·세냐빈·아프라크신·이즘루드로 구성된 1군을 만나 공격함. 이즘루드함은 떨어져 도망쳤으나 다른 네 척은 삽시간에 항복함. 우리 함대의 손해는 없음."

일본은 독도 인근 해역에서 러시아 함대를 격파하였다. 이 전투에서 러시아군 4,380명이 사망하고 5,917명이 생포되었다. 하지만 러시아는 여전히 막강한 군사력을 보유한 강대국이기에 항상 감시하고 주의해야 했다.

1905년 7월 22일, 일본 해군성은 해군 인부 38명을 독도에 상륙시켜 7월 25일 독도 망루 공사를 개시하였다. 1905년 9월 5일 일본 정부는 승리의 대가로 러시아로부터 남부 사할린과 쿠릴 열도를 받아냈다. 이후 독도 망루는 10월 15일에 철거가 결정되었고, 1906년 시마네현 지사의 주선으로 '죽도어렵합자회사'에 인계되었다.

석포일출일몰전망대 망루터 | 일본군이 동해 감시를 위해 울릉도에 만든 망루터

일본 해군의 동해 전략 기지가 바로 울릉도와 독도였다. 지금도 울릉도 석포전망대에는 망루터와 상당한 규모의 일본군 주둔지 흔적이 남아 있다. 러일전쟁에서 승리함으로써 일본은 세계적인 강국으로 급부상했다. 세계 5대 해전 중 하나로 꼽히는 이 전투에서 일본이 세계 최강국인 러시아를 무너트리고 승리할 수 있었던 것은 전략적 요충지 선점과 정보력 확보 차이에 의한 것이었다.

1905년 7월 29일 미국 육군장관 태프트William Howard Taft와 일본 수상 가쓰라桂太郎가 동아시아 문제를 두고 작성한 합의

윌리엄 하워드 태프트와 가쓰라 다로 | 가쓰라-태프트 밀약의 주인공이다.

비망록agreed memorandum인 가쓰라-태프트 밀약은 미국의 필리핀 점유와 일본의 한국 점유를 상호 양해하는 내용이 핵심이다. 광복 80여 년이 지난 지금까지 일본이 독도에 대한 미련을 버리지 못하는 이유는 아직도 과거의 추악한 영광을 잊지 못했기 때문이라는 생각이 든다.

일본은 시마네현 고시 등을 통하여 독도 영토 편입을 공포하였다고 주장하지만, 러시아는 이 사실을 전혀 알지 못했고 대한제국도 마찬가지였다. 일본은 독도의 중요성을 인식하고 러시아 함대의 항로를 가로막는 비책으로 1905년 2월 22일 독도를 시마네현에 편입시켰다. 이날이 바로 '다케시마의 날'

인 것을 처음 알게 되었다. 독도 다큐멘터리를 제작하는 PD로 창피한 일이지만 나는 독도에 대해 아는 것이 없었다. 나뿐만 아니라 이번 다큐멘터리에 참여한 스태프 대부분이 마찬가지였다. 당시 뼈저리게 반성하며 투지를 불태웠던 기억이 새롭다.

'시마네현 고시 40호'

　일본 정부가 독도 영유권을 주장하며 내세우는 '시마네현 고시 40호'는 어떤 내용이 담긴 문서일까?

　시마네현은 1905년 2월 22일, 내부 회람용이란 도장을 찍어 관보에 게시한 바 없는 '시마네현 고시 40호'를 고시하였다고 주장한다. 이는 출처를 알 수 없는 회람본으로 공식적으로 고시된 사실이 확인되지 않았다고 알려져 있다. 당시 몇몇 사람만이 비밀리에 돌려보았기 때문에 일본 국내에서도 '시마네현 고시 40호'를 알지 못하였고 관보에 실린 적이 없다고도 한다. 시마네현은 회람용 도장이 찍힌 문서 한 장이 현청에 있다고 하지만 일부 학자들은 화재로 소실되어 원본이 없으며 현재 전하는 것은 실체가 없는 것이라고 한다. 일본 정부의 공식적

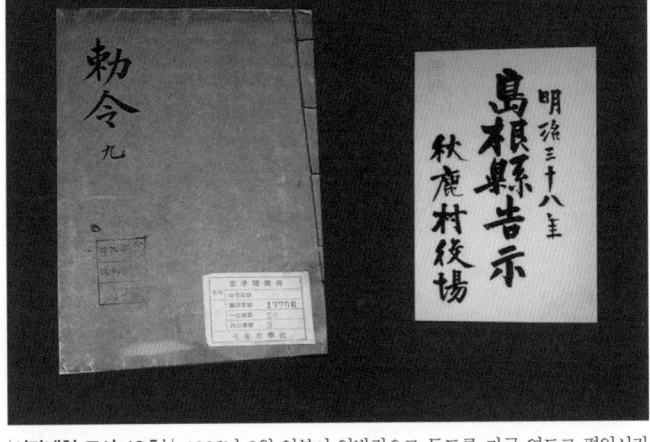

'시마네현 고시 40호' | 1905년 2월 일본이 일방적으로 독도를 자국 영토로 편입시킨 사실을 알린 고시라고 하나 공식적인 문서도 아닐 뿐더러 신빙성이 없다.

인 문서도 아니고 일부 사람만이 돌려보았다는 문서가 독도를 영토로 편입한 증거라고 주장하는 모습이 상식적으로 이해가 가지 않는다.

일본 정부가 독도를 고유영토라고 주장하는 근거 중 하나는 1905년 1월 28일 내무대신 요시카와 아키마사芳川顯正가 독도를 일본 영토에 편입하는 '무인도 소속에 관한 건'을 각의에 상정하여 만장일치로 통과시켰다는 것이다. 이때 결정한 주요 내용은 다음과 같다.

첫째, 이 무인도독도는 타국이 점령했다고 인정할 만한 형적이 없고, 즉 무주지이고, 둘째, 1903년 일본인 나카이 요자부로中井養三郎가 어사를 짓고, 인부를 이주시켜 고기잡이를 준비하여 강치잡이에 착수했으며, 즉 선점한 바 있고, 셋째, 그가 이번에 영토 편입 및 대하貸下 임대청원서를 제출한바, 넷째, 이 계제에 소속 및 도명을 인증할 필요가 있으므로, 다섯째, 이 섬을 다케시마라 명하여 이제부터 시마네현 소속 오키섬隱岐島司 소관으로 한다.

이런 말도 안 되는 결정에 대해 대한제국이 아무런 문제를 제기하지 않았다고 주장한다. 이는 국제법상 절대 성립될 수 없으며, 일본은 대한제국에 통보한 적도 없다. 일본이 통보하였다고 주장하는 근거는 1906년 3월 28일 일본 시마네현 제3부장 진자이 요시타로神西田太郎가 울릉도 군청을 방문한 것에 따른 것이다. 1906년 3월, 울릉군수 심흥택은 울릉도를 방문한 시마네현 관리로부터 독도가 일본 땅으로 편입되었다는 청천벽력 같은 소식을 듣는다. 일본 지방정부인 시마네현이 일방적으로 '시마네현 고시 40호'를 발표하고 독도를 자국 영토로 강제 편입시키고 억지 주장을 편 것이다.

시마네현 지방지 『산인신문』 1906년 4월 1일 자에는 진자이 요시타로에 관한 기사가 나온다.

시마네현 관리 울릉도 방문 | 1906년 3월 울릉도를 방문한 시마네현 관리들이다.

"나는 대일본제국 시마네현의 산업을 권장하는 관원으로 귀
도와 우리 관할인 다케시마독도가 서로 가까이 있고, 또 귀도
에 우리나라 사람이 많이 체류하니 만사에 친절한 마음을 바
랍니다. 귀도를 시찰할 예정이었다면 선물을 준비했겠지만, 피
난 때문에 우연히 들르게 되어 빈손으로 오게 되었습니다. 다행
히 다케시마독도에서 잡은 강치를 드리니 받아주시면 기쁘겠습
니다."

최근 영토로 편입한 독도를 순시하러 왔다가 태풍을 만나
울릉도로 피항하게 된 김에 인사차 방문한 것이지 독도 편입

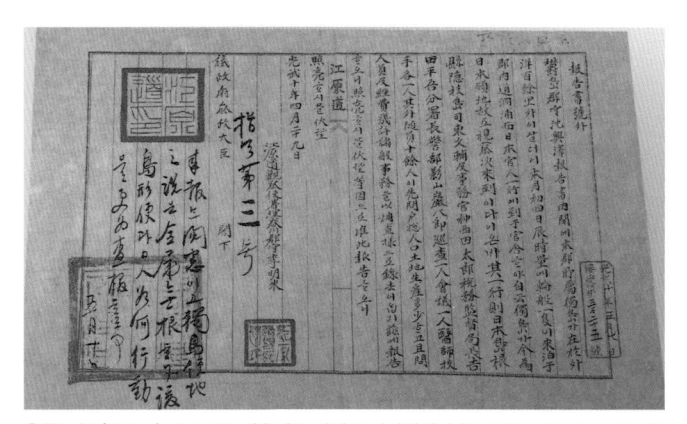

울릉군수의 보고 | 울도군수 심흥택은 강원도 관찰사에게 '울도(울릉도)군 소속으로 독도'를 언급하며 일본의 불법 침탈 사실을 보고하였다.

사실을 통보하기 위해 방문한 것이 아니었다. 그리고 독도 편입 사실을 정식으로 고지한 것도 아니었다. 그는 단지 "우리 관할에 속하는 다케시마독도"라며 지나가는 말로 언급하였을 뿐이다.

당시 울도군수 심흥택은 다음 날인 3월 29일 강원도 관찰사에게 '울도군울릉도 소속으로 독도'를 언급하며 일본의 불법 침탈 사실을 보고하였고, 보고를 받은 강원도 관찰사서리 춘천군수 이명래는 4월 29일 의정부에 이를 다시 보고했다.

<보고서 호외>

울도군수 심흥택의 보고서에 본군本郡 소속 독도가 먼바다 100여 리쯤에 있는데, 이달 4일3월 28일 진시辰時경 배 한 척이 울도군 도동포道洞浦로 와서 정박하고는 일본 관리 일행이 군청으로 와 스스로 말하기를, "독도가 이제 일본 영토가 되어 시찰차 섬을 방문하였다"라고 하고, (중략) 먼저 가구 수, 인구, 토지 및 생산량을 묻고 다음으로 인원 및 경비가 얼마인지를 물으며, 제반 사무를 조사할 양으로 기록하고 가기에 이에 보고하오니, 형편을 살펴 아시기 바랍니다.

광무 10년(1906) 4월 29일

강원도관찰사서리 춘천군수 이명래

의정부 참정대신 합하

보고를 받은 의정부 참정대신 박제순은 5월 10일에 "보고 내용을 살펴본 바, 독도의 일본 영토설은 사실무근이니 해당 섬의 형편과 일본인의 행동을 살펴 다시 보고하라"라는 지령을 내렸다.

일본은 이를 통보라고 주장하지만 국가 간의 중대한 영토 문제를 일개 현, 그것도 수장이 아닌 하급관리가 태풍으로 우연히 피항한 상태에서 지나가는 말로 언급한 것을 통보라고 할 수는 없다. 대한제국의 관리는 피항해 온 일본인의 이상한 말을 보고하고 확인했을 뿐이다. 일본은 독도를 편입시키기 전에 대한제국에 그 소속에 관해 물어야 하는데 그러지 않았고, 편입 후에도 아무런 통보를 하지 않았다. 그러므로 일본의 독도 영토 편입은 억지이며 무효이다.

III.
독도는
우리의 고유 영토

「대한제국 칙령 제41호」

　대한제국은 일본이 '시마네현 고시 40호'를 고시했다고 주장하기 5년 전인 1900년 10월 25일 「대한제국 칙령 제41호」를 제정하고, 10월 27일 『관보』에 게재하였다. 대한제국 광무황제高宗의 재가를 받은 「대한제국 칙령 제41호」는 울릉도의 행정 등급을 승격시키고, 울도군수鬱島郡守가 관할하는 행정 구역이 울릉도 전체와 석도독도임을 명확하게 기재한 공문서이다. 이 문서는 대한제국이 독도를 자국 영토로 인식하고, 이를 『관보』에 고시하여 대내외에 널리 알린 점에서 독도 영유권 핵심 자료 중 하나다. 의정부 괘지에 황제가 서명하고 칙명지보勅命之寶를 찍은 문서 정본은 「칙령 9책」에 수록되어 있다.

　내부대신 이건하는 울릉도감 배계주裵季周와 울릉도 시찰위

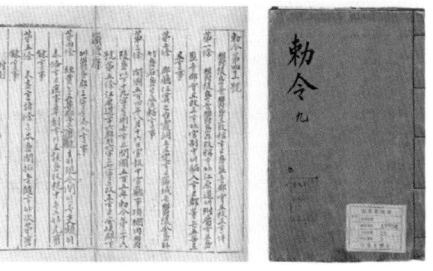

「대한제국 칙령 제41호」 | 내부대신 이건하(李乾夏)가 울릉도를 울도로 개칭하고, 도감을 군수로 개정하는 안건을 의정부 의정 윤용선(尹容善)에게 제출했다.

원 우용정禹用鼎, 부산해관 세무사 서리 라포르트Laporte가 올린 보고서와 시찰 기록에 기초하여 울릉도를 적극적으로 관리해야 할 필요성을 제기했다. 그리하여 울릉도의 비옥한 토양과 이주 백성의 증가, 외국인의 왕래와 교역 등을 거론하면서 명칭을 울도로 개칭하고 군수를 둘 수 있도록 의정부 회의 안건으로 상정했다.

이로부터 이틀 후인 24일 의정부 회의에 참석한 여덟 명의 대신이 모두 찬성하여 25일 광무황제는 의정부에서 의결한 대로 울릉도를 울도鬱島로 개칭하고, 도감을 군수로 개정하는 등 전체 6개 조항을 승인했다. 「대한제국 칙령 제41호」가 나오게 된 배경이다.

각 조항을 살펴보면 다음과 같다.

"제1조 강원도 울진현에 속해 있던 울릉도를 5등급의 울도 군으로 행정구역을 개편하고, 군수가 섬을 관할하도록 규정한다. 군수는 주임관奏任官 급이며, 울도군청에는 19명의 직원을 둘 수 있다.

제2조 울도군청의 관할 행정구역은 울릉도 전체와 대섬竹島, 석도石島, 독도이다.

제3조 행정구역 개편에 따라 앞서 반포하였던 1895년 8월 16일 자 '울릉도에 도감을 두는 건'을 삭제하고, 1896년 「칙령 제36호」에서 규정하였던 강원도 관할 군郡 숫자에 울도군 하나를 추가하여 27개로 변경한다.

제4·5조 울도군청 신설에 따라 소요 비용은 섬에서 거두는 세금으로 먼저 충당하고, 섬 개척 상황에 따라 운영에 필요한 부분을 충당할 수 있도록 한다.

부칙 제6조 「칙령 제41호」는 반포된 날부터 법적 효력이 발생하도록 규정한다."

대한제국은 「칙령 제41호」를 『관보』에 게재함으로써 울릉도와 독도에 대한 영유권을 공식적으로 대내외에 고지하였고, 독도가 울릉도에 부속한 섬이자 관할 지역임을 공문서로 명확하게 남겼다. 하지만 일본은 1895년 청일전쟁으로 중국을 제압하고, 1902년 영일동맹으로 영국의 양해를 얻고, 1904년 러

헤이그 특사 | 헤이그 특사 위임장과 헤이그 특사 3인으로, 순서대로 이준, 이상설, 이위종이다.

일전쟁으로 러시아를 제압하고, 1905년 가쓰라-태프트 밀약으로 미국의 동의까지 얻어 이를 무력화하는 조치를 한 상황이었다.

궁지에 몰린 광무황제는 1907년 네덜란드 헤이그에 이상설·이위종·이준을 밀사로 파견하여 일본의 부당한 조선 침략을 세계에 호소하려 하였으나 일본의 방해로 서구 열강들은 더는 관심을 보이지 않았다. 가슴 아픈 일이지만 당시 대한제국은 1905년 11월 17일 을사늑약으로 외교권을 상실하여 어떠한 저항도 할 수 없는 참담한 상황이었다.

이런 역사적 사실에도 불구하고 일본은 자국에 불리한 한국의 공식 문서와 기록은 효력이 없다고 주장하고 일본의 문서는 공식 문서가 아님에도 국제법적으로 효력이 있다고 주장하

독도 | 독도는 국제법적으로 엄연한 대한민국의 영토다.

고 있다. 이중잣대로 편의적으로 해석하여 국제사법재판소ICJ
에 회부하자는 일본의 주장을 영상에 담으려 해도 그 이유를
찾을 수 없다. 우리 것을 왜 저들이 이래라저래라하는지 다큐
멘터리에 저들의 주장을 담아 설명하는 것이 더욱 하찮게 느
껴졌다.

일본은 국제사법재판소의 판결을 받는 것 자체에 대해 "패소하면 본전, 승소하면 횡재"라고 한다. '아니면 말고' 하는 식의 태도는 어린아이가 떼쓰는 모습과 다를 게 없다. 무조건 우기고 보는 가증스런 일본의 뻔뻔함은 어디서 나오는 것일까?

독도가 사는 바다, 동해

'시마네현 고시 40호'와 「태정관지령」, 러일전쟁 등을 조사하고 촬영하느라 시간이 많이 흘렀다. 작가들이 자료를 조사하던 중 2013년 한 소프트웨어 회사에서 대한민국 고등학교 학생 7,000명을 대상으로 한 설문 조사 결과를 찾았는데 너무 충격적이라서 제작진을 놀라게 했다. "한일 간에 불거진 독도 문제를 어떻게 해결하면 좋겠느냐"라는 질문에 10%의 학생이 "독도를 반으로 쪼개 일본과 사이좋게 나눠 가졌으면 좋겠다"라고 답했던 것이다.

제작진은 만약 지금 다시 설문 조사를 한다면 더 큰 문제가 있을 수 있다는 생각에 긴급회의를 열어 아주 근본적인 부분을 짚어보고 다시 정리하기로 했다. 우리는 우선 바다 이름에 주목했다.

1945년 8월 15일, 대한민국은 광복을 맞아 땅과 하늘과 바다를 다시 품을 수 있게 되었다. 하지만 일본은 우리 바다 이름을 '일본해Sea of Japan'로 마음대로 바꿔 놓았다. 그러면 일본은 동해의 이름을 언제 바꾼 것일까?

우리 정부가 국제사회에 동해의 '일본해 단독 표기'에 이의를 제기하며 '동해 병기'를 주장한 것은 1992년 8월 제6차 유엔지명표준화회의UNCSGN를 통해서였다. 동해가 일본해로 세계에 알려지기 시작한 것은 국제수로기구IHO에서 결정한 지명이 『해양과 바다의 경계』에 수록되면서부터였다. 국제문화대학원대학교 이상태 교수는 "1929년 『해양과 바다의 경계』가 만들어지면서 지도 제작의 근거가 되는 바다 명칭의 표준이 정해졌는데 이때가 일제강점기여서 일본이 일방적으로 '일본해'로 표기하여 '동해'라는 이름을 뺏기게 된 것"이라 했다. 시대적 상황에 휩쓸려 손 쓸 틈 없이 동해는 이름을 잃어버리게 된 것이다.

국제수로기구가 발간한 『해양과 바다의 경계』는 초판 이후 개정판이 계속해서 발간되었다. 제2판이 발간된 1937년에도 한국은 여전히 일본의 식민지배를 받던 상황이어서 국제행사에 참여할 처지가 아니었고, 제3판이 발간된 1953년은 한국전쟁 중이어서 참여는 생각조차 할 수 없는 상태였다. 이런 시대

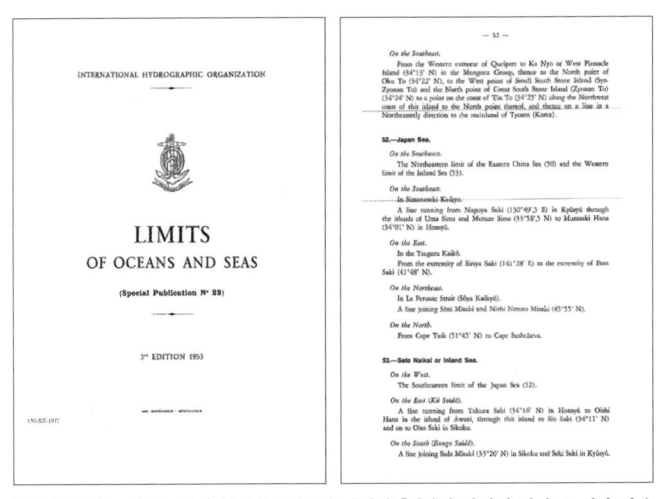

S-23 바다와 해양의 경계 │ 국제수로기구가 발간한 『해양과 바다의 경계』 표제와 일본해 표기 관련 내용

적 상황 속에서 한국은 일본해 표기의 확산을 지켜볼 수밖에 없었다.

한국전쟁 이후 냉전이 시작되며 대한민국ROK과 조선민주주의인민공화국DPRK의 유엔 가입은 장기간 이루어지지 않다가 냉전이 해체된 후인 1991년 9월에 동시에 가입하게 되었다. 대한민국 외교부 국제표기명칭대사를 지낸 유의상 동아시아평화번영연구소장의 설명에 따르면, "동해 병기 운동이 시작된 직접적인 계기는 유엔 가입 이후 유엔의 여러 기구가 대한민국 정부에 보내온 여러 공문서 때문이다. 이 문서들은 너무나 당연하다는 듯 동해를 일본해로 쓰고 있었고, 이 사실에 크게 충격받은 외교부는 1992년 6월 문화부·교육부·공보처·교통부수로국·건설부국립지리원와 협의하여 같은 해 7월 '동해 명칭의 국제적 통용추진 대책안 건의'라는 문서를 만들었다. 당시 정부 내에서는 동해 병기를 내세우면 일본에 공격할 빌미를 제공하여 독도 문제에 악영향을 줄 수 있다고 주장하는 이도 있었다"라고 했다.

이런 복잡한 과정을 거쳐 당시 노태우 대통령에 의해 동해 표기에 대한 정부 방침이 확정되었다. 내용을 살펴보면 "동해의 영문 표기를 'East Sea'로 하고, 국제적으로 'Sea of Japan과 병용'을 목표로 각종 국제회의에서 대한민국의 입장을 제시하고 홍보한다"라는 것이다. 하지만 한국의 병기 주장을 순순히 받아들일 리 없는 일본은 크게 반발했다. 한일 양국 정부는 2000년대 중반 세 차례 직접 협상을 시도했지만 의견 차이만 확인했을 뿐 성과는 없었다. 독도를 두고 일본과 치열하게 대치한 노무현 전 대통령은 2007년 11월 베트남 하노이에서 열린 한일 정상회담에서 당시 아베 신조 총리에게 동해를 '평화의 바다' 또는 '우의의 바다'로 부르자는 제안을 했지만 아베 전 총리는 그 자리에서 거절했다.

일본 외무성의 공식 홍보자료인 「일본해-국제사회」에는 "오래전부터 널리 사용된 명칭인 '일본해'는 국제적으로 확립된 유일한 호칭이며, 분쟁의 소지가 될 여지가 없다. 유엔 지명표준화회의, 국제수로기구 등 국제회의에서 한국 등이 이 같은 주장을 할 경우 일본은 단호히 반대할 것"이라고 되어 있다. 일본 정부는 이 문제로 항의할 생각이 전혀 없는 것이다.

국제수로기구는 1953년 이후 시대 변화를 반영하기 위해 『해양과 바다의 경계』 제4차 개정판 발간에 앞서 한일 양국의 합의를 기대하였으나 이뤄지지 않았다. 그러자 2002년 제4차 개정판 최종 초안에 동해 부분을 백지로 남겨두었다. 이후 15년 넘게 합의하지 못하자 2017년 4월 총회에서 동해 표기와 관련된 당사국인 남·북·일 3자가 모여 결론을 내라고 의결했다. 2019년 두 차례에 걸쳐 3자 대화가 이뤄졌지만, 일본은 끝내 한국의 병기 주장을 받아들이지 않았다. 현재 국제수로기구는 이 끝없는 논쟁을 끝내기 위해 한일 양국에 수역을 지칭하는 숫자로 된 체계a system of unique numerical identifier 도입을 제안했다. 이 제도가 도입되면 바다 이름은 사라지고 각 수역에는 숫자로 된 코드가 붙는다.

1991년 유엔 가입 당시 동해 병기 표기 비율은 0.2%에 불과했지만 대한민국 각계각층의 노력으로 현재는 40%, G7 국가에서는 50.4%에 이르게 되었다. 최근에는 디지털 지도에도 확대되고 있다. 하지만 현재 세계인이 가장 많이 사용하는 '구글

맵'을 미국에서 접속하면 초기 화면에 일본해로 나타나며, 축척을 늘여야만 비로소 동해·일본해 병기가 나온다. 디지털 지도 제작사에 더 많은 홍보가 필요한 대목이다.

우리 조상들이 남긴 다양한 지도와 사료에서는 우리 민족이 한반도 동쪽 바다를 동해라 불렀다는 것을 어렵지 않게 찾을 수 있다. 고지도에 표기된 동해 지명은 서울대학교 규장각 한국학연구원이 소장하고 있는 『아국총도我國摠圖』에서 분명하게 볼 수 있다. 18세기 후반에 제작된 이 지도는 정상기의 『동국대전도』 계열의 소형 전도로 아름다운 채색이 돋보인다. 지도에는 서해, 남해와 더불어 동해가 표기되어 있다.

동해라는 이름은 서구식 세계지도에서도 볼 수 있다. 『천하도지도天下都地圖』는 알레니Giulio Aleni의 『만국전도萬國全圖』를 바탕으로 조선에서 제작했다. 이 지도에는 동해에 '소동해小東海', 서해에는 '소서해小西海'라는 바다 이름이 표기되어 있다. 이러한 바다 명칭은 『만국전도』에는 없는 것으로 조선이 새롭게 기입한 것이다. 이에 반해 일본은 동해 수역을 '조선해'로 표기하는 등 스스로가 일본해로 인식하지 않았음을 다양한 사료를 통해 확인할 수 있다.

세계 곳곳에서 동해의 이름과 독도가 명백한 대한민국의 영토임을 증명해 주는 역사적 사료들을 어렵지 않게 찾을 수 있다. 그중에서 대한민국과 국경을 접하며 조선 말기부터 대

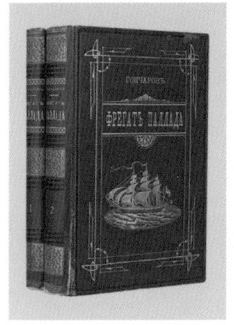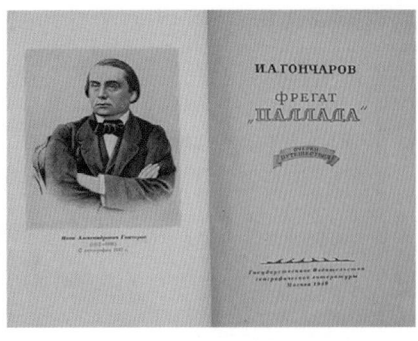

『전함 팔라다Fregat Pallada』 | 이반 곤차로프가 1858년에 출간했다.

한제국에 이르기까지 수많은 역사적 사건으로 긴밀한 관계를
유지하고 있는 러시아에서도 관련 기록을 찾을 수 있다. 우리
는 러시아로 건너가 제일 먼저 과학아카데미의 동방학연구소
로 향했다. 이곳은 1818년 창설된 이래 170여 년 동안 러시아
내 동양 연구의 최고 연구기관으로 한국학 발전에도 크게 기
여했다.

　러시아의 리얼리즘 작가로 유명한 이반 곤차로프Ivan Alek-
sandrovich Goncharov는 러시아 해군 제독의 비서로 일할 당시
군함 팔라다호를 타고 한반도와 일본까지 여행한 경험을 글
로 남겼다. 그의 여행기 『전함 팔라다』에는 당시 조선의 생생
한 모습과 함께 독도가 기술되어 있다. 유럽과 아프리카, 동남
아시아, 일본을 거쳐 1854년 4월 거문도에 도착한 곤차로프

일행은 주민들과 한문으로 필담을 나눴다. 이들은 조선의 중국에 대한 조공 외교는 물론, 지방 행정구역이 8도로 나뉘어 있다는 사실도 알고 있었다.

서양 최초로 독도의 서도와 동도를 명명한 국가는 러시아였다. 러시아 제독 푸차친Yevfimiy Vasilyevich Putyatin은 팔라다호를 이끌고 조선의 동해안을 조사했고, 올리부차호Olivutsa는 독도를 발견했다. 러시아는 19세기 중반 조선의 동해안을 탐사하면서 서도와 동도의 위치를 정확하게 파악하고 독도의 명칭을 표기했다. 이는 러시아도 독도를 한국의 영역으로 파악했다는 사실을 알려준다.

독도가 우리 땅임을 알려주는 자료는 이뿐만이 아니다. 러시아의 5대 도서관 중 하나인 사회과학도서관에도 관련 서적이 많다. 도서관 관계자는 빼곡하게 들어찬 고서들 가운데 한권을 조심스럽게 가져다주었다. 낡은 표지가 발행연도를 짐작게 하는 이 책은 러시아 동방학의 대가였던 뀨네르N.V. Kiuner.가 펴낸 『한국개관Очерк Кореи, Essay Korea』이었다. 20세기 초 러시아가 발행한 학술서로 "독도는 울릉도에 속한 조선의 섬"이라고 적혀 있었다. 그러면서 도서관 관계자는 1910년 일본의 한국 강점 이후에도 독도가 한반도의 고유 영역이었음을 보여주는 새로운 자료라고 설명을 덧붙였다.

『한국개관』은 울릉도를 설명한 대목의 각주脚注에서 독도를 바위가 아닌 섬으로 언급하면서, 식수와 연료가 충분하지 않지만 어선이 정박할 수 있고, 주변에 다양한 해산물이 풍부하다고 기록해 경제적 가치를 부각했다. 독도가 우리 땅이라는 유리한 국제법적 논거일 뿐만 아니라 배타적 경제 수역 논의에서도 독도를 기점으로 삼을 근거가 될 수 있다는 평가가 따른다. 동방학연구소의 공식적인 입장임을 인증해 주는 글귀가 선명한 이 연구서에서 뀨네르는 독도가 한반도의 고유 영역이라는 점을 정확히 기술했다.

동방학연구소의 마라자코 교수는 일본의 주장은 근거가 빈약하고 억지 주장이라고 꼬집었다.

"일본이 그 영토에 대해 영유권을 주장할 수는 있다고 생각합니다. 영토영유권 문제에는 역사적·지리적·정치적·법률적 문제가 존재합니다. 하지만 제 개인적인 시각으로는 역사적 관점에서나 법률적 관점에서 독도에 대한 일본의 영유권 주장 근거는 미약합니다. 그런데도 일본 정부는 영유권 주장을 제기하고 있습니다."

또 모스크바국립대학교 역사학부의 아에라베토프 교수는 주의를 기울여야 한다는 경고 메시지를 남겼다.

"러시아에는 이런 말이 있습니다. '1원짜리 양초 때문에 모스크바가 불타 버렸다' 다행히 현재 이 문제는 갈등이 아니라 논쟁 차원에 머물러 있습니다. 그러나 단순한 논쟁들이 갈등으로 빚어질 수 있음을 우리는 잘 알고 있습니다. 이런 갈등은 나중에 상황을 상당히 악화시킬 수 있을 정도로 여파를 초래할 수 있습니다. 그것이 전쟁까지 의미하지는 않는다고 해도 말이죠."

작은 변화의 시작

우리에게 작은 땅덩어리가 아닌 대한민국 영토 주권을 상징하는 독도와 동해. 하지만 다른 나라 사람들은 작은 바위섬과 바다이름을 둘러싼 갈등으로 여길 수 있다.

미국 매사추세츠주 보스턴에서 한국 학생들로 구성된 독도홍보국제사절단과 함께했다. 사절단은 보스턴을 출발해 뉴욕을 거쳐 워싱턴에 이르기까지 8박 9일 동안 미국 동부의 주요 대학과 도서관을 돌며 동해와 독도 표기 확산을 위한 홍보 활동을 전개했다. 이들은 단 한 사람이라도 독도에 관심을 갖고 독도가 대한민국의 땅임을 알아주기를 바라는 간절한 마음으로 활동을 시작했다. 첫 방문 장소로 약 2,600만 권을 소장한 보스턴 공립도서관을 찾았다. 동해 표기가 된 지도를 찾아

SNS로 홍보하기 위해 구획을 나눠 살피기 시작했다.

하지만 이내 실망하는 학생들. 하나둘 표정들이 어두워졌다. 이곳 보스턴 공립도서관이 소장한 지도에는 대부분 일본해로 표기되어 있었고, 동해로 표기된 것은 좀처럼 찾을 수 없었다. 촬영하는 동안 동해 표기를 발견하고 즐거워하는 학생들의 모습을 담고 싶었으나 쉽지 않았다. 직접 찾아보고 문제의 심각성을 알아가는 소중한 시간이 되었을 것으로 생각한다. 학생들은 동해 표기를 찾는 여정 동안 많은 것을 느끼고 독도와 동해에 대한 애정도 깊어졌다. 아무리 찾아도 동해 표기는 보이지 않았고, 미국의 유명한 대학과 대형 도서관을 모두 뒤졌지만 찾아낸 동해 표기는 단 몇 개에 불과했다. 이들은 과연 무엇을 느꼈을까?

심각한 상황을 인식한 학생들은 하나같이 자기반성에 풀이 죽은 모습으로 인터뷰를 했다.

"세계지도의 97%가 일본해로 되어 있다는 언론 보도를 보았지만 안 믿었어요. 상황을 과장해 심각성을 깨닫게 하려나 보다 했는데 실제로 보니 맞는 말이라는 것을 느꼈죠. 실제로 심각해요"

"비행기 탈 때만 해도 세계인들에게 독도가 뭔지 알려야겠다, 우리가 세계를 바꿔야겠다는 야망이 있었어요. 막상 여기 와서 자료들을 살펴보니 단 한 사람에게라도 정확한 정보를 알리는 것이 중요하다고 생각했어요."

"동해로 표기된 게 어느 정도 있을 거라고 믿었는데, 저는 단 한 개도 발견하지 못했어요. 우리가 거기에 관심을 쏟지 못할 동안 미국 국립도서관의 모든 책에 일본해로 표기된 게 충격적이기도 하고, 우리가 너무 안일했구나 하고 생각했어요."

학생들이 느낀 현실의 벽은 너무나 크고 높았다. 책에서 보거나 말로만 듣는 것이 아닌 심각한 현실을 느꼈을 것이다. 이제 집으로 돌아가면 이들은 독도와 동해를 알리는 전도사가 될 것이다. 나 역시 처음 시작할 때와는 다른 사람이 되어 있다.

뉴욕 공립도서관에 소장된 지도에서 동해와 독도를 찾는 학생들을 마지막으로 촬영하고, 한국으로 돌아갈 준비를 하고 있을 때 워싱턴에서 기쁜 일이 있었다는 연락을 받았다. 뉴욕에서 시작한 '동해 병기운동'은 실패했지만 버지니아주에서는 성공했다는 것이다. 나는 바로 버지니아주로 가려 했지만 미국 동부에 100년 만에 내린 폭설로 모든 교통 수단이 막혀 버렸다. 난감했다. 발만 동동 구르며 안타까워하고 있을 때 미국에 있는 지인에게서 안부 전화가 왔다. 내가 자초지종을 설명하고 도움을 청하자 뉴욕 주변에 있었던 지인은 이틀간 험한 눈길을 뚫고 버지니아 리치먼드까지 갈 수 있게 도와주었다. 약속한 시각보다 이틀이 지났지만 리치먼드의 한인회장은 우리를 따뜻하게 맞아주며 그간의 이야기를 들려주었다.

동해와 독도를 바라보는 세계인의 시각에 변화가 일기 시작했다. 이러한 변화를 일으킨 장본인은 바로 미국 버지니아주 한인들이었다. 이들은 버지니아주의 모든 공립학교 교과서에 단독으로 표기되었던 일본해에 동해가 병기될 수 있도록 법안을 상정시켜 주의회가 승인하는 기적을 만들었다. 표결이 있던 날 의회에는 200여 명이 넘는 한인들이 회의장을 가득 메웠다. 표결을 위해 의회로 들어오는 의원들은 이 광경을 보고 부담과 압박을 느꼈을 것이다. 이것이 얼마나 간절한 일인지 직접 보여주고 싶었다는 한인들. 그 간절함이 결국 기적을 일궈낸 것이다. 한인들은 가슴 뭉클했던 당시를 회상하며 기뻐했다.

"111년 한인 이민 역사 중에 한인을 위한 법이 주의회를 통과한 건 처음입니다."

"내가 죽기 전에 이런 일을 한 번 했다는 것이…."

미국에 사는 수많은 한국인이 바라는 것이었지만 수없이 많은 좌절로 포기하려 했던 일이다. 일본의 로비와 대형 로펌의 협박을 이겨낸 것은 한인들의 단결력이었다. 미국인 누구도 지구 반대편에 있는 작은 나라의 바다 이름에 신경을 쓰지 않았지만 버지니아주 한인사회는 생업을 포기하고 주의회 의원들을 만나 '동해East Sea'를 알리고 설득했다. 단순히 이름 문제가 아니었다. 이름 뒤에 숨겨진 한 나라와 민족의 아픔이 고스

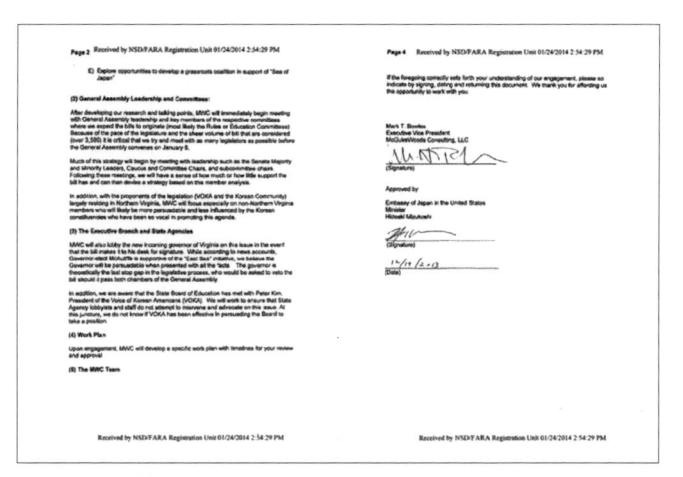

일본의 로비 문서 | 일본의 로비로 인해 미 국무부가 일본해 단독 표기를 인정하자 미주 한인들은 동해 찾기 백악관청원운동을 펼쳤다.

란히 담긴 역사이기에 버지니아주 학생들이 꼭 배워야 한다고 의원 한 사람 한 사람을 붙잡고 이야기하여 일궈낸 기적이다.

"한국은 1945년에 해방됐지만 일본은 동해를 아직 돌려주지 않고 있습니다. 미국을 공격했던 일본 정부에 의해 왜곡되어 표기됐던 일본해란 이름을 우리는 학교에서 아직도 우리 아이들에게 가르치고 있습니다. 우리 다 함께 왜곡된 역사를 바로잡는 데 앞장서 서명합시다. 우리 아이들은 올바른 역사를 배울 권리가 있습니다."

– 백악관청원운동

전 세계 대부분의 지도와 출판물, 교과서 등에 동해는 보이지 않고 일본해만 넘쳐난다. 2011년 8월, 미 국무부는 일본해 단독 표기를 인정하며 국제사회에서 동해를 사라지게 했다. 이 역시 일본의 로비에 의한 것이었다. 미주 한인들은 대한민국 정부도 어쩌지 못한 동해를 되찾기 위해 발 벗고 나섰다. 2012년 3월 22일부터 4월 21일까지 한 달 동안 미주 한인들이 제기한 '동해 찾기 백악관청원운동'에는 10만 명이 넘는 한인과 미국인들이 참여했다.

미국 버지니아주 의회 팀 휴고 하원의원은 아주 반가운 마음으로 지지 의사를 밝혔다.

"한국계 미국인 커뮤니티에 있는 제 친구들 몇 명이 와서 '동해·일본해 병기'에 대해 설명해 주었습니다. 저는 이것이 역사적으로 옳다고 생각합니다. 그래서 정말 지지하는 쪽이고요. 기쁜 마음으로 도울 것입니다."

미국 버지니아주 의회 데이브 마스덴 상원의원은 한인들의 노력과 의지에 지지를 보냈다

"가장 중요한 것은 한인들의 노력으로 이 모든 어려움을 이겨냈고, 법안은 통과되었으며, 교육적 차원에서 아이들에게 좋은 가르침을 줄 수 있을 것으로 생각합니다."

이 법안을 지지했던 의원들이 하나같이 찬사를 보낸 인물이 있다. 바로 미주 〈한인의 목소리〉의 피터 김 회장이다. 한국계

미국인이며 평범한 직장인이었던 그는 '동해 병기운동'을 시작한 배경을 설명했다.

"아들 크리스가 7학년이었을 때, 한국과 일본 사이의 바다 이름을 아느냐고 물어봤더니 일본해라고 답하는 거예요. 그래서 일본해가 아니라 동해가 맞다고 혼냈어요. 그런데 생각해보니 아이를 혼낼 게 아니라 교과서를 바꿔야 한다는 생각이 들었어요."

중학생 아들을 둔 평범한 재미교포 1.5세인 피터 김이 '동해 병기운동'에 뛰어든 것은 단지 내 자녀가 올바른 교육을 받도록 하겠다는 한인 부모의 마음 때문이었다. 거창한 신념이 있던 것은 아니었다. 그는 버지니아주에 사는 한인 유권자들의 힘을 앞세워 주의회 의원들을 일일이 찾아다니며 '동해 병기'의 필요성을 설명했고, 1년이 넘는 노력 끝에 민주당과 공화당을 아우르는 초당적 지지를 얻는 데 성공했다. 한일 간의 외교적 이슈가 아닌 미국 시민으로서 당당히 주장할 수 있는 시민의 권리로 다가간 것이 성공의 결정적 이유였다.

2014년 7월 버지니아주 공립학교의 모든 교과서에서 동해를 병기하는 법안이 발효됐다. 일본은 대사가 직접 나서고 로비스트와 3개월간 75,000불에 계약하며 적극적으로 저지활동을 했다. 주지사에게 편지를 보내 버지니아주에 투자한 10억 달러를 거둬들이겠다고 협박하기도 했다. 그런데 대한민국 정

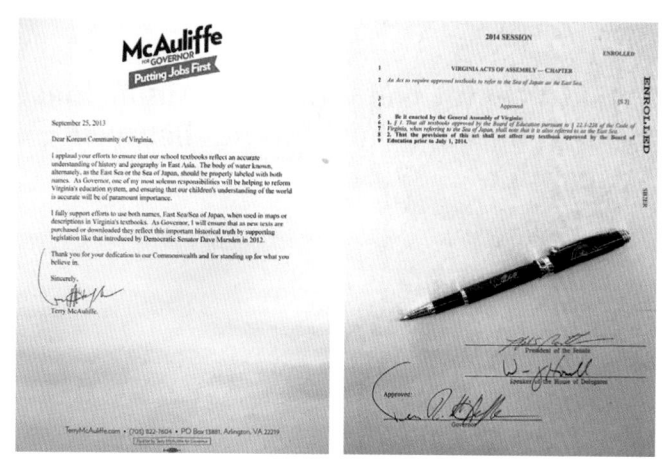

동해 병기 주지사 서명 │ 2014년 7월 버지니아주 공립학교의 모든 교과서에서 동해를 병기하는 법안이 발효됐다.

부는 '조용한 외교'만 보여줬다. 일본의 방해는 2012년 3월 제1차 백악관청원운동 때부터 시작됐다. 도를 넘은 일본 정부의 개입이 미국에서 일고 있는 '동해 병기운동'을 막아선 것이다.

일본 총리까지 나서서 미 국무부와 미국 정부를 접촉하고 있는 정황이 포착될 즈음 『워싱턴 포스트』는 일본 외교부가 주지사에게 보낸 편지를 입수해 보도했다. 이와 함께 로비스트와 체결한 계약 내용도 공개했다. 계약 조건은 '일본 편이 되어 줄 교육자·언론사 포섭, 〈한인의 목소리〉에 대응할 수 있는 개인·단체 포섭, 주지사 거부권 행사' 등이었다. 로비에 의한 비리가 밝혀지자 미국 정부와 버지니아주 그리고 일본 정

Tokyo's envoy had warned McAuliffe that bill would affect business ties between Japan, Va.

 By Rachel Weiner

January 23, 2014 at 7:53 p.m. EST

RICHMOND — The government of Japan urged Democrat Terry McAuliffe in late December to oppose an obscure bill in the Virginia legislature about textbooks or risk damaging the economic relationship between the two governments, according to a letter obtained Thursday by The Washington Post.

In the letter to McAuliffe before his gubernatorial inauguration, Japanese Ambassador Kenichiro Sasae urged him to oppose a measure that would require future Virginia textbooks that mention the Sea of Japan to note that it is also known as the East Sea — the name preferred by Koreans.

McAuliffe had promised to support the measure during his campaign for governor, but he has been under pressure to reverse his position in recent days. The Japanese government hired four lobbyists to advocate against the bill, and Sasae traveled to Richmond on Wednesday to meet directly with McAuliffe and legislative leaders.

In his letter, Sasae said: "I worry that Japanese affinity towards Virginia could be hampered" if the measure is enacted. He noted the $1 billion in direct investment that Japan has made in Virginia in five years, the 250 Japanese companies with investments in the state and the multimillion-dollar export market in Japan for products from Virginia.

"[I] fear . . . that the positive cooperation and strong economic ties between Japan and Virginia may be damaged," he wrote.

Despite Japan's efforts, the measure passed the state Senate on Thursday — with a gallery of cheering Korean Americans looking on. The issue is delicate for people of Korean heritage, who consider the Sea of Japan label a painful relic of Japanese occupation — and whose sizable presence in some Northern Virginia communities brought the issue to the attention of several lawmakers.

『워싱턴 포스트』 보도 | 사사에 겐이치로 주미 일본대사가 동해 병기법을 저지하기 위해 테리 매콜리프 버지니아주지사에게 경고성 편지를 보냈다는 『워싱턴 포스트』의 2014년 1월 23일 자 보도 내용이다.

부와 대사관까지 모두 난감한 상황에 처하며 더는 개입하지 못했다.

버지니아주지사 테리 매콜리프Terry McAuliffe는 지난 선거 때 동해 병기 지원을 한인사회와 약속하고 한인 유권자들의 지지를 받았다. 하지만 주지사가 '동해 병기운동' 법안이 통과될 무렵 거부하려는 움직임을 보이자 피터 김 회장은 약속 이행을 촉구했다. 하지만 일본 총리까지 나서서 압박과 로비를 벌이자 주지사는 한인회를 피하려고만 했다. 주의회 하원에 큰 영향력을 발휘할 수 있었던 주지사가 약속을 이행하지 않으니 법안 통과는 힘들 것 같았다. 버지니아주 리치몬드시 한인협회 김상균 회장은 당시 애타는 심정을 회상했다.

"아무래도 제일 큰 고비는 하원 소위원회였습니다. 그것도 아주 극적으로 통과했기 때문에 거의 표결에서 밀리는 형국이었고, 의원 한 명이 갑자기 나가는 바람에 드라마가 써진 거죠. 찬성하기로 한 사람이 아무 말 없이 나가는 바람에 찬성 4표, 반대 4표, 4대 4가 된 겁니다. 가장 큰 고비였습니다."

이후 한인회는 주지사에게 서명한 문서를 들이대며 약속 이행을 촉구했다. 때마침 『워싱턴 포스트The Washington Post』에서 일본의 로비 사건이 보도되자 주지사의 선택은 불을 보듯 뻔했다. 〈한인의 목소리〉 피터 김 회장은 마지막 표결 이야기를 들려주었다.

"외국 정부가 대형 로펌을 앞세워 미국 지방정부의 법안을 막으려고 했다는 것은 버지니아 주민과 상·하 의원들의 자존심에 상처를 입히는 일이었죠. 모든 사람이 화를 냈죠. 미국 민주주의의 근본을 깨려 한다며. 그것도 외국 정부가. 그래서 역풍을 맞은 겁니다."

전세는 완전히 역전되었다. 그리고 법안이 통과되었다. 미국 버지니아주 하원 전체회의는 동해 병기법안을 찬성 81표, 반대 15표로 통과시켰다. 압도적이었다. 이 법안이 하원까지 통과하자 리치먼드에 모인 500여 명의 한인들과 법안을 지지한 의원들은 너나 할 것 없이 기뻐했다. 일본의 전방위적인 압박에도 미주 한인사회는 당당히 맞서 싸우며 대한민국 정부가 해내지 못한 일을 해냈다. 이를 계기로 미국 동부 한인 최대밀집 지역인 뉴욕주를 비롯한 다른 주에서도 '동해 병기운동'이 시작되었고, 현재 여러 곳에서 '동해 병기법안'이 발의되었다. 이제 시작이다. 할 수 있다는 생각으로 우리 국민이 함께 한다면 어떤 일인들 못 할까. 미국 버지니아주 한인회가 이뤄낸 기적에 대한민국 정부도 자극을 받고 지원을 아끼지 않는다고 한다.

그렇다면 동해 병기가 일본에게 어떤 의미이기에 이토록 집요하게 방해하는 것일까?

일본 정부는 한국의 영토인 독도에 대해 억지 주장을 일방적으로 하고 있지만, 일본 내에는 독도를 비롯하여 동해 표기, 강제동원, '위안부' 등 영토·지명·역사 문제에 대해 진실을 바탕으로 일본 정부의 문제점을 지적하고, 변화를 촉구하는 양심 있는 지식인들과 독일처럼 과거에 대해 진정한 사과를 해야 한다는 사람들도 있다. 이제 일본 위정자들은 이들의 말에 관심을 가지고 귀를 기울여야 한다. 선거 때만 되면 반복하는 '독도가 일본 영토'라는 주장과 '고유한 영토를 단호히 지키기 위해 역사적·학술적 연구를 한층 심화하고, 국내외에 홍보를 강화'하겠다는 정치적 구호는 이제 멈춰야 한다. 국내 정치용으로 더는 독도와 대한민국을 이용하지 않기를 바란다.

독도 폭격 사건

"8일 오전 11시 30분께 울릉도 동방 39해리독도에 국적 불명의 비행기 몇 대가 출현하여 폭탄을 투하한 뒤 기관총까지 쏘아대고 사라졌다. 고기잡이와 미역을 따고 있던 울릉도와 강원도의 20여 척 어선이 파괴되고, 어부 16명이 즉사하고, 10명이 중상을 입었다. 급보를 받은 울릉도 당국은 구조선 두 척을 현장에 급파했다." (조선일보 1948년 6월 11일 자)

1948년 6월 11일 자 한 일간신문에 실린 이 기사는 사흘 전인 1948년 6월 8일 미 공군의 폭격 연습으로 독도에서 조업하던 우리 어민이 사망한 끔찍한 사건을 알려주었다. 공교롭게도 이 사건은 독도가 우리 삶의 터전이라는 것을 실증적으로

독도 일출

보여준 사례이기도 하다.

생존자의 증언이 나오면서 폭격기가 미 공군 소속이라는 사실이 밝혀졌으며, 6월 17일 일본 도쿄의 미국 극동공군사령부는 B-29 폭격기가 폭격 훈련을 했음을 인정했다. 다만 "고공에서 비행했기 때문에 어선을 보지 못했으며, 폭격 30분 뒤 정찰기가 촬영한 사진을 분석한 결과 현장에 작은 선박 여러 척이 있었다는 사실을 알게 되었다"라고 발표했다. 이후 이 사건은 미군과 한국 정부에 의해 조용히 지워지고 말았다.

이 사건은 어떻게 발생한 것일까?

비밀 해제된 미 공군 문서를 분석한 결과 문제의 폭격 훈련을 한 부대는 미 공군 93폭격대대였다. 328·329·330폭격대로 구성된 93폭격대대는 캘리포니아주 캐슬공군기지에 주둔하고 있다가 1948년 4월 15일 3개월간 임시배치 명령을 받고 일본 오키나와 가데나기지로 이동했다. 93폭격대대는 사건이 발생했을 당시 일본에 주둔한 유일한 B-29 폭격기 운용 부대였다.

1948년 5월 말, 배치가 끝난 93폭격대대에 21개의 훈련이 주어졌는데 그중 세번째가 독도 폭격이었다. 1948년 6월 7일, 정찰기를 포함해 총 24대가 훈련에 참여했다. 폭격기당 1000파운드약 500kg 폭탄 4개를 독도에 투하하고, 카메라로 촬영하라는 훈련 명령이 내려졌다. 1948년 6월 8일, 일본 오키나와 가데나기지에서 출발한 미 공군 B-29 폭격기 20대는 1000파운드짜리 폭탄을 4개씩 독도에 쏟아부었다. 76개의 폭탄이 목표물 반경 90m 안으로 떨어졌고, 인근에서 어로작업을 하던 우리 어민들이 떼죽음을 당했다.

당시 미군과 한국 경찰은 어민 14명이 숨지고 어선 11척이 침몰했다고 밝혔다. 생존자들에 따르면 어로작업 중 갑작스러운 폭격에 놀라 하늘을 향해 태극기와 손을 흔들며 멈출 것을 요청했다고 한다. 이 사건은 제헌의회의 주요 의제가 되었고,

독도 | 1970년대 말 독도의 모습

국민들도 분노하며 진상규명을 촉구했다. 하지만 미국의 압박을 받은 제헌의회는 달랑 성명서 한 장으로 마무리했다.

그렇다면 왜 미군은 독도를 폭격했을까?

맥아더 연합국 최고사령관의 각서에 따라 독도는 한국 영토로 규정됐고, 일본은 독도 근방에 접근할 수 없게 되었다.

위기감을 느낀 일본은 1946년 요시다 시게루 내각이 들어서면서 또다시 독도를 빼앗기 위한 계략을 세웠다. 그 일환으로 1947년 일본 외무성은 독도와 울릉도가 일본의 섬이라는 황당한 내용을 담은 '일본의 부속 도서'라는 팸플릿홍보자료을 작성했다. 그런데 이 문서가 독도를 한국령으로 인정해 왔던 연합군사령부와 미 국무부에 비밀리에 전달되면서 미국 내부에 혼선을 일으켰다.

일본의 계획대로 어처구니없는 비밀문서를 인정한 연합군사령부는 1947년 독도를 미 공군의 폭격 연습장으로 지정하게 되었다. 독도 폭격 당시 329폭격대 폭격수였던 장교는 목표물의 명칭과 날짜는 기억나지 않지만 "폭격 목표였던 섬에 작은 선박들이 있었으며, 그 선박들이 마약 밀수선이라는 이야기를 들었다"라고 했다. 한국 어선이 마약 밀수선으로 둔갑하게 된 사연은 탐욕에 눈먼 일본의 계략이었다.

1950년 6월 8일, 영문도 모른 채 숨져간 어민들의 넋을 기리고자 위령비가 세워졌다. 그러나 이 위령비는 한국전쟁을 틈타 일본인들이 파괴했다거나 자연재해로 소실되었다는 말과 함께 사라져 버렸다. 그런데 2015년 광복 70주년을 맞아 독도 수중 생태를 조사하던 독도탐사팀이 '독도조난어민위령비獨島遭難漁民慰靈碑'라는 글귀가 새겨진 비석을 기적처럼 발견하고 인양작업을 벌여 다시 빛을 보게 되었다.

독도조난어민위령비 │ 2015년 광복 70주년을 맞아 독도 수중 생태를 조사하던 독도탐 사팀이 '독도조난어민위령비獨島遭難漁民慰靈碑'라는 글귀가 새겨진 비석을 발견하고 인 양작업을 벌여 다시 빛을 보게 되었다.

미 공군의 독도 폭격 사건에 대해 미국은 일본에 이용당해서 사실을 몰랐다고 하지만 그 말은 이해가 가지 않는다. 이 사건으로 한국의 주권은 침해당했으며 한국인들의 생명은 존중받지 못했다. 우리 정부는 미군 측에 독도 폭격 연습과 관련된 사실을 조회하였고, 그 결과 독도가 1952년 미 공군의 폭격 연습지로 다시 지정된 사실을 알게 되었다. 일본의 거짓말은 반세기 만에 드러났지만 독도를 폭격 연습장으로 지정하여 사용할 만큼 아무도 없는 빈 섬이란 주장을 펴며 독도 영유권의 근거로 이용하고 있다. 자신들의 거짓으로 인해 희생된 수많은 희생자에게 사과나 반성도 없이 미국이 무주지를 활용한 것이란 말만 되풀이하고 있는 것이다.

　일본이 하는 행위들을 보면 사람의 목숨이나 국제 규범 따위는 중요하지 않다. 모든 수단과 방법을 동원하여 여전히 독도에 대해 억지 주장만 되풀이하고 있다.

1. 우리는 독도를 바로 알고 있나?

우리 땅 독도는 과거에도, 현재에도 사람이 살고 있다. 취재 당시 독도에는 경비대원 50여 명과 관리사무소 직원 두 명 그리고 김성도 독도 이장 부부가 살고 있었다. 독도를 지키는 경비대와 관리 공무원은 당연히 있어야 하지만 일반인은 언제부터 살았을까?

독도는 역사적·지리적·국제법적으로 대한민국의 영토이며, 대한민국의 주권이라 외치던 나는 독도에 대해 진정 알고 있는 것일까? 독도의 생활상이나 독도가 어떻게 지금에 이르게 된 것인지 알려고도 하지 않았다. 일본을 향해 우리 땅이라고 목소리만 높였지 정작 알아야 할 것은 공부하지 않았다.

독도 서도 | 독도에는 독도를 지키는 경비대, 관리 공무원, 일반인이 살고 있다.

독도에 설치된 998개 계단과 식수처였던 물골을 촬영하기 위해 자료를 찾던 중 최종덕이라는 인물을 알게 되었다. 그는 울릉도 주민으로 독도 어장에서 어로 활동을 하다가 1963년 독도에 처음 입도하였고 1965년 독도 공동 어장 어업권을 취득하여 독도 생활을 시작했다. 최초의 독도 주민으로 물골의 작은 동굴에서 생활했다. 샘물이 나오는 물골은 식수를 해결할 수 있었지만 파도가 심하면 침수되기 쉬워 살기에 적합하지 않았다.

최종덕 | 1963년 독도에 입도한 최초의 독도 주민으로 물골의 작은 동굴에서 생활했다.

그는 서도 봉우리에 올라 파도와 바람을 피할 수 있는 적당한 곳을 물색하다가 현재 주민 숙소 자리에 터를 닦고 움막을 지었다. 이후 집을 짓고, 냉동창고를 만들어 채취한 수산물들을 보관하고, 양식을 시작하고, 배를 들어 올리는 장치를 개발해 큰 파도를 피하는 등 독도를 개척해 나가기 시작했다. 1979년에는 딸최은채도 독도에서 함께 생활하며 어업 활동을 했다.

그러던 1981년 10월 14일, 최종덕이 독도로 주민등록 이전을 허가받자, 부인조갑순과 딸도 주소지를 옮겨 세 사람은 독도에 주민등록을 한 주민이 되었다. 대한민국 정부가 인정한 최

독도의 토담집 | 독도의 최초 주민인 최종덕이 지은 첫 토담집이다.

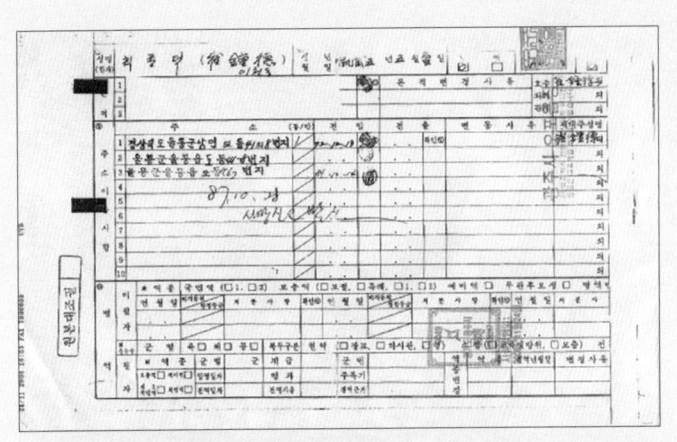

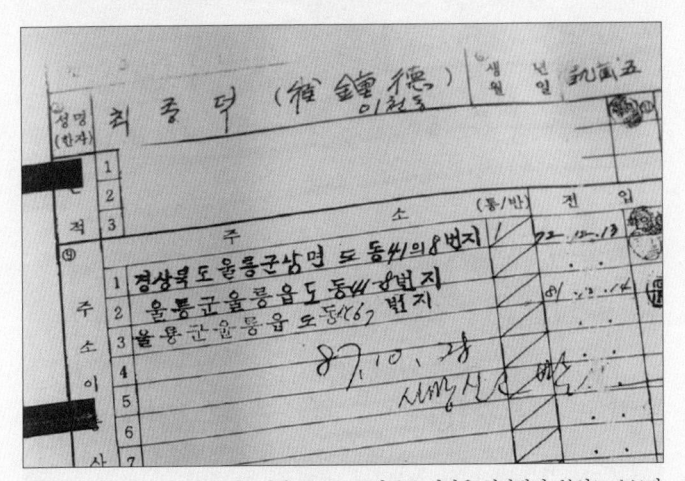

초본 | 1981년 10월 14일, 최종덕이 독도로 주민등록 이전을 허가받자, 부인(조갑순)과 딸도 주소지를 옮겨 세 사람은 독도에 주민등록을 한 주민이 되었다.

초의 독도 주민이 된 것이다. 이후 독도에서 4개월 이상 거주하는 사람에게는 독도로 주소지를 옮기게 하여 함께 어민 숙소에서 생활했다. 최종덕은 울릉도 주민들에게 독도에서 함께 생활하자는 말을 자주 했다.

"그분최종덕은 평소에 독도에 관심이 많았어요. 평상시에도 저 섬독도에 들어가 살아야 일본이 자기 땅이라고 말하지 못하게 하는 증인이 된다고 했어요. 그러면서 독도에 내가 먼저 들어갈 것이니 자네도 들어와서 함께 생활하자고 자주 말했어요."

척박한 돌섬이 온전한 영토가 되기 위해서는 몇 가지 조건이 있었다. 나무와 물 그리고 사람이다. 이 세 가지 조건이 완성되어야 한다. 일찍이 독도의 가치를 알아본 이가 바로 독도 최초 주민 최종덕이다.

"왜 섬에서 사는가 하겠지만 와보면 그대로 사는 것도 괜찮아요. 내가 생각할 때는 양식을 해가지고 조금 활발하게 되면 주민들이 많이 들어와서 살았으면 좋겠어요. 제가 그걸 제 힘으로 마련하고 싶어요."

MBC에는 그의 인터뷰가 남아 있다. 그는 남다른 생각으로 독도를 사랑하고, 독도를 온몸으로 지켜냈다. 혹시라도 일본 배가 보이면 모든 일을 제쳐두고 뒤따라가 내쫓았다.

독도의 생활은 다른 어장에서의 생활과는 크게 달랐다. 해녀들이 독도에서 함께 생활했지만 일반적인 물질보다 배 위의

독도 마을 | 최종덕의 독도 개척 이후 독도는 살만한 섬으로 변하였다.

공기호스에 의지해 장시간 잠수하는 머구리라 불리는 잠수부의 일을 더 많이 했다고 한다. 최종덕이 독도를 개척하자 독도는 살만한 섬으로 변하였다. 풍부한 어장 덕분에 수익도 제법 컸다. 물질 좀 한다는 해녀들은 독도에서 1년의 절반을 살다 가곤 했다. 최종덕은 해녀들의 든든한 후견인이었다. 그와 16년간 독도에서 함께 생활했다는 제주도 출신 해녀 고순자는 당시 상황과 최종덕에 대한 믿음을 전해 주었다.

"독도의 파도는요 간단하게 생각했다가는 큰일 나요. 서로 믿어야 삽니다. 나는 아저씨^{최종덕}를 믿고, 아저씨는 우리 해녀들을 믿고, 아저씨와 바다에 나가면 우리도 마음 놓고 물 밑에 들어가서 작업하지만, 다른 사람이 배를 잡으면 마음이 좀 불안해요."

독도는 연간 쾌청한 날이 불과 47일에 불과하고, 1년에 50번 이상 태풍과 폭풍이 불어 사람이 살기에 척박한 환경이지만 최종덕은 섬 주변에 전복 양식장, 문어 건조장을 만들며 독도를 어업기지로 만들었다. 아울러 해산물 판매로 얻은 수익을 다시 섬에 투자해 독도의 마을을 꾸미는 일에 진력을 다했다.

어민 숙소가 있는 서도 뒤편으로 가면 맑은 샘이 나오는 물골이 있다. 독도에서 생활하는 데 가장 중요한 곳이다. 파도가 잔잔하고 날씨가 맑은 날이면 경비대원들이 작은 배를 이용하여 물골로 생활용수와 식수를 가지러 가곤 하였다.

1982년 11월, 빨래를 하기 위해 물골로 갔던 독도경비대원 두 명이 갑자기 불어온 돌풍과 파도에 배가 전복되어 사망하는 사고가 일어났다. 최종덕이 울릉도로 일을 보러 나간 사이에 사건이 일어난 것이다. 사건이 발생한 후 최종덕은 "조금만 일찍 왔다면 이런 일이 생기지 않았을 텐데"라며 많이 슬퍼했다고 한다. 이 사건으로 만들어진 것이 서도의 998계단이다. 당시 최종덕은 물골로 가는 계단만 있었다면 사람이 죽는 일이 없었을 것이라며 울릉경찰서와 울릉군청에 공사를 요청하였다.

물골 | 맑은 샘이 나오는 물골은 독도에서 생활하는 데 가장 중요한 곳이다.

1980~1985년까지 5년간 독도에서는 많은 공사가 이루어
졌지만 독도에서 공사를 하겠다고 선뜻 나서는 업체도 없었
고, 작업할 인부조차 구하기 힘든 상황이었다. 그 때문에 당시
모든 공사는 최종덕의 손으로 이루어졌다. 선착장과 동도의
계단 등 현재 독도 대부분의 구조물은 그의 손에서 탄생한 것
이다. 특히 서도 계단 공사는 그의 무수한 노고가 담긴 소중한

결과였다.

　당시 서도 계단 공사업체가 선정되어 인부들이 독도에 들어왔지만 며칠을 견디지 못하고 도망치듯 달아났다. 선정된 업체의 엉성한 설계로 공사는 처음부터 난항이었다. 설계부터 다시 하고 998계단 공사가 시작되었다. 물자 수송이 어려운 섬이라 자재 대부분은 독도에서 해결했다. 배로 실어온 시멘트를 제외하면 자갈은 섬 주변과 산에서 떨어진 작은 돌들을 모으고 큰 돌은 부셔서 충당했고, 모래는 해녀들이 바닷속에서 직접 담아왔고, 공사에 필요한 물은 물골에서 배로 실어 날랐다. 이 공사에 독도의 모든 식구가 총동원되었다.

　날씨가 좋으면 어로 활동을 하고, 풍랑이 일거나 날씨가 좋지 않으면 계단 공사를 했다. 날씨 변덕이 심한 독도의 특성상 공사는 수시로 중단되었다. 70% 이상이 급경사로 이뤄진 독도의 언덕은 공사를 더욱 힘들게 했다. 하루에 고작 한두 칸 만들 때도 있었다. 그나마 어민 숙소 쪽은 수월한 편이었지만 물골로 이어지는 뒤편의 상황은 최악이었다. 급경사에 힘을 주면 쉽게 부서지는 바위, 거센 파도와 바람으로 엄두를 내지 못할 때 최종덕은 정상에서 물골 방향으로 계단을 만들기로 하고 자재를 올릴 수 있게 경운기 엔진을 등에 메고 가파른 언덕을 올랐다. 당시 함께 일했던 사람들은 독도의 급경사를 너무 잘 타는 그에게 '산신령'이라는 별명을 붙였다. 3년 만에 공사

998계단 | 독도의 모든 공사는 최종덕의 손으로 이루어졌다. 오랜 시간의 공사 끝에 서도에는 돌풍과 파도가 몰아쳐도 안전하게 다닐 수 있는 길, 998계단이 생겼다.

가 끝난 서도에는 돌풍과 파도가 몰아쳐도 안전하게 다닐 수 있는 길이 생겼다.

독도에 가면 볼 수 있는 998계단의 뒷이야기를 아는 이는 별로 없다. 최종덕이 독도를 지키고 있는 동안 독도에는 사람 냄새가 났다. 절벽 끝에 덩그러니 있던 움막도 시간이 지나면서 두세 채로 늘어났다. 사람들이 모여 마을을 이루는 꿈이 영그는 중이었다.

1987년 기록적인 태풍이 독도를 삼켜버리는 일이 발생했다. 24년을 꼬박 매달려 만든 삶의 터전도 순식간에 날아가 버렸다. 집들과 창고 그리고 배를 올리던 기계장치까지 독도에 이루어 놓은 모든 것이 한순간에 사라졌다. 말없이 허공만 바라보며 며칠을 보낸 최종덕은 다시 털고 일어나 새롭게 마음을 먹고 공사에 필요한 자재를 구하기 위해 육지로 나갔다가 뇌출혈로 쓰러져 삶의 모든 것을 바친 독도로 돌아오지 못했다.

독도에서 일반인의 출입이 허락된 곳은 동도의 선착장이다. 독도에 발을 디딘 감격을 추억으로 남길 때 건너편의 서도는 늠름한 배경이 된다. 대한민국에서 독도의 동도와 서도를 오갈 수 있는 사람은 극히 제한적이다. 이들 중 1년에 한두 차례 반드시 서도를 찾는 사람들이 있다. 바로 최종덕과 함께 독도에서 생활한 독도 주민인 딸 최은채와 외손녀다. 최은채는

태풍 후 마을 | 1987년 태풍으로 집들과 창고 그리고 배를 올리던 기계장치까지 독도에 이루어 놓은 모든 것이 한순간에 사라졌다.

1979년 독도에 들어가 11년을 생활한 산증인이다. 외손녀 조한별은 독도가 본적지이자 독도에서 출생한 독도둥이다. 이들은 최종덕 선생의 업적을 기리며 독도를 알리는 기념사업회를 만들어 매년 고인을 추모하고 독도를 탐방하는 행사를 한다. 아무나 갈 수 없는 옛 문어 건조장 한편에는 최종덕을 기리는 비석이 세워져 있다.

기념비 | 영원한 독도 주민 최종덕을 기리는 기념비이다.

양지바른 독도 한편에 묻히길 바랐던 최종덕. 돌투성이 섬에서 살 수 없다고 울릉도 사람들은 말했다. 하지만 최종덕은 식수가 나는 물골을 바닷물이 넘보지 못하게 정비하고, 998개의 계단을 손수 만들어 돌섬에 길을 내며 사람이 살 수 있는 섬으로 바꾸었다.

1960년대부터 독도가 사람이 살 수 있는 섬임을 증명한 최종덕은 '독도에 사람이 살아야 진정한 우리 땅'이란 생각을 가지고 독도에 주소지를 최초로 옮겨 대한민국의 대인주권을 처음으로 행사했으며, 영원히 독도에서 살기를 염원한 독도지기다. 독도경비대를 비롯해 최종덕을 기리는 사람들은 그가 독도를 개척하고 독도경비대의 후원자 역할을 했다고 평

독도 사람들 | 최종덕과 함께 살았던 마을 사람들이다.

가한다. 하지만 국가는 그가 살던 주거지, 그가 정비한 물골을 '안용복길'로 명명하며 그의 희생을 인정하지 않았다. 더욱이 2008년 그의 딸 최은채가 아버지를 기리는 비석을 설치하려 하자 이를 허가하지 않았다. 최은채는 "국가가 아버지의 삶에 대해 의미를 두지 않는 것 같아 개탄스럽다"라고 말했다. 독도가 대한민국의 고유한 영토이며, 유인도임을 널리 알린 영원한 독도인 최종덕. 지금 우리가 바라보고 지키려는 독도가 최종덕이 꿈꾸고 만들려고 했던 독도인지 생각해 본다.

2. '韓國領(한국령)'

독도는 한국령이다. '領령'은 거느린다는 뜻이다. 대한민국이 거느리는 땅이 바로 독도다. 점유하고 있는 것이 아니라 대한민국에 속한 대한민국이 거느린 우리 땅이다. 일본은 독도가 '韓國榮한국영'으로 쓰이길 원한다. '한국의 꽃韓國榮', 언젠가는 돌아가야 할 고향처럼 화동의 안내를 받으며 세계로 뻗어가는 꽃길이 바로 독도라고 여긴다. 일본은 독도를 통해 소위 말하는 꽃놀이를 하려는 걸까? 러일전쟁에서 승리를 만끽할 때처럼 일본군을 앞세워 세계 곳곳을 누비고 싶은 망상을 하는지도 모른다.

대한민국 동쪽의 끝 독도. 두 개의 섬 중 가장 먼저 태양을 맞이하는 동도에는 독도를 지키는 독도경비대의 막사가 있다. 그리고 막사 아래 절벽에는 특별한 글자가 새겨져 있다. 바로 독도의 각석문 '韓國領한국령'이다. 많은 사람이 TV에서 한 번쯤은 본 적이 있는 '韓國領'은 대한민국의 영토이기에 새겨진 것이다.

그런데 정작 이 글씨를 쓴 사람이 누구인지, 언제, 어떻게 새긴 것인지 알려지지 않았다. 누가 이곳에 '韓國領'을 새긴 것일까. 새겨진 글자 모양을 보면 강한 필획과 웅장하면서도 티없이 맑아 서예가의 수작이라고 전문가들은 입을 모은다. 서

한국령 | 1954년 서예가 한진오 선생이 새긴 한국령이다.

예가는 작은 글씨도 쓰지만 큰 건물의 현판 같은 큰 글씨도 쓴다. 외벽에 걸리는 현판 글씨는 눈앞에서 보는 작은 글씨와 느낌이 확연히 다르다는 점을 고려해야 한다. '韓國領'이란 작품은 건물의 외벽 정도가 아니라 바다에서 보는 바위 벽면의 글씨다. 바다에서 바위 벽면의 글씨를 바라보고 있자니 마치 눈앞에 쓴 것처럼 생생하게 다가온다.

이 작품은 1954년 당시 울릉도에서 명필로 꼽히던 한진오의 작품이다. 한국령임을 선명하게 주장하고자 하는 그의 독도 사랑이 한 획 한 획에 깊이 서려 있는 듯하다. 알려진 바로는 1954년 6월, 독도의용수비대에 의해 '韓國領' 각석문이 제

한국 각석문 | 동도와 서도 일대에 4~5개의 영토 각석을 새겼다.

작되었다고 한다. 당시 대원들이 바위를 정으로 쪼아 평탄면을 만들고, 홍순칠 독도의용수비대장이 평소 친분이 있던 이북 출신의 울릉도 서예가 한진오에게 부탁하여 글자를 새겼다는 것이다. 하지만 이 일화에는 약간의 오류가 있다. 두 사람의 친분과 애국심에서 만든 것이 아니라 정부의 요청에 의한 공식 작업이라는 게 제대로 된 이야기다. 최근 한진오의 가족들은 독도의용수비대의 주도로 '韓國領'이 제작된 것이 아닌, 1954년 당시 정부의 요청으로 한진오가 석공과 동행하여 글을 새겼으며, '韓國領'뿐 아니라 동도와 서도 일대에 4~5개의 영토 각석을 함께 새겼다고 한다.

그런데 정부에서 철저한 보안을 요구하여 지금까지 외부에 관련 내용을 말하지 못했다고 한다. 현재 공연예술 기획자이자 연출가로 활동 중인 한진오의 아들 한전기는 독도 곳곳에 새긴 각석의 문체는 고려 시대 이전의 것부터 조선 및 근대에 이르는 여러 가지를 사용했다고 했다. 그의 증언 가운데 '韓國領' 각석 외에 4~5개를 더 제작하였다는 점은 주목할 만하다. 실제로 '韓國領' 각석문과 부채바위 맞은편의 '韓國' 각석문 그리고 동도 정상부의 '韓國' 각석문은 서체가 유사함을 볼 수 있다. 동도 부채바위 맞은편의 '韓國' 각석문과 동도 정상부 암반면의 '韓國' 각석문에서 '韓' 자의 끝부분이 모두 좌측으로 휘어진 형태를 보인다. 또 '韓國領'과 동도 정상부의 '한국' 각석문의 '國' 자의 경우, '厶' 자를 이용하여 '或' 자를 표현한 특징도 있다. 이 외에도 글자의 비율, 획의 굵기 등에서 서체의 유사점이 확인된다.

한진오가 제작에 직접 참여하였다는 증언은 가족뿐만 아니라 다른 관계자도 인정하고 있다. 각석문의 서체 특징을 고려했을 때 최소 세 개는 한진오가 제작하였다. 한국전쟁 직후 한국 정부와 국민이 전쟁의 상처를 회복하기 위해 모든 역량을 투입하던 당시 독도는 한국의 관심에서 비켜 있었다. 이런 상황 속에서 독도에 일본 어선과 순시선이 자주 출몰하자 울릉도 주민들은 자체적으로 독도를 수호하려 했다. 한국 정부는

'韓國領'이란 각석을 새겨 독도 수호 의지를 표명한 것으로 생각된다.

이처럼 울릉도 사람들은 독도를 지켜야 한다는 생각이 깊다. 단순히 우리 땅이어서 그런 것이 아니라 그간 외세에 당했던 고통과 희생이 너무 컸기 때문이리라.

3. 대한민국 정부의 노력, 일본 정부의 '사과와 망언'

1995년은 광복 50주년이자 한일 국교 정상화 30주년이 되는 해였다. 당시 김영삼 대통령은 광복 50주년을 강조하며 '일제유산 청산'을 추진했다. 그 시작은 조선총독부 건물 철거였다. 대한민국 국민은 김영삼의 결단력에 박수를 보냈지만, 한국 내 일부 세력은 '폭파'라는 극단적인 철거가 아닌 일부를 유지하여 연구대상으로 삼을 필요가 있다고 하였고, 일본 정부는 건물을 가져가겠다는 신호를 보냈지만, 1995년 광복절을 앞둔 8월 7일 산산조각이 나며 철거되었다.

조선총독부를 무참히 철거함으로써 김영삼은 90%에 육박하는 국민의 지지를 받게 되었지만, 일본의 반발은 거셌다.

1995년 8월, 무라야마 도미이치村山富市 당시 일본 총리는 제2차 세계대전 종전 50주년을 맞아 과거 일본의 침략 행위와 식민지 지배 등을 반성하는 담화문을 발표했다.

　"과거 식민지 지배와 침략으로 아시아 나라들에 큰 손해와
　고통을 줬다. 통절한 반성의 뜻을 표한다."

　하지만 그뿐이었다. 급기야 무라야마는 담화 발표 두 달 만
에 "한일합방조약은 당시 국제법상으로 유효하다"라는 망언
을 했다. 한국 국민이 더욱 분노했던 것은 당시 에토 다카미江
藤隆美 총무청 장관의 발언 때문이었다.

　"일제의 식민지 강점은 조선이 나라의 힘이 없었기에 어쩔
수 없이 단행된 것이었다. 일본이 조선의 근대화에 기여했고,
창씨개명도 강제가 아니었다."

　1995년 11월 14일, 화가 난 김영삼은 한중 정상회담김영삼-
장쩌민 후 이어진 기자회견에서 양국 간에 논의된 평화 협력방
안에 대한 기자의 질문에 동문서답을 했다.

　"내가 취임 후 일본 총리가 네 번 바뀌었으며, 네 사람 모두
한국을 방문했다. 그때마다 나는 역사 인식을 바로 해야 한다
고 얘기했다. 과거 식민지배를 하며 우리에게 잔혹하게 한 데
대해 역사를 직시하고 반성의 토대 위에서 미래로 나가자고
이야기했다. 그런데도 망언이 계속되고 있다. 이번을 포함해
정부 수립 후 서른 번은 넘을 것이다. 이번에 '버르장머리'를

기어이 고치겠다."

　일본이 참여하지도 않은 한중회담에서 공개적으로 한 '버르장머리 발언'은 11월 14일 저녁부터 일본의 방송과 신문에 보도되기 시작했다. 처음에는 이 발언을 어떻게 해석할지 몰라 당황했다는 후문도 있지만, 어찌 되었든 일본은 상당한 불쾌감을 표시하였다.

　"품위 없는 표현 방식"『산케이신문』, "'버르장머리'는 윗사람이 아랫사람의 나쁜 버릇을 꾸짖을 때 쓰는 속어"『요미우리신문』, "대통령의 발언으로는 좀 감정적이라고도 생각할 수 있으나 그 분노는 이해할 수 있다"『아사히신문』 등 일본 내에서도 의견이 분분했다.

　양국의 대립은 계속되었다. 1996년 2월, 대한민국 정부가 독도 접안시설 공사를 시작하자 일본 정부도 전면적으로 나서기 시작하였다. 1996년 2월 8일 일본 하시모토 류타로 총리는 한국이 독도에 선박 접안시설 공사를 추진하는 것에 대해 질문하는 일본 기자들에게 "일본자위대 순시선을 파견하여 현황을 파악하겠다"라고 발언했다. 이튿날에는 이케다 유키히코池田行彦 외무상이 "다케시마독도는 일본 땅이다"라고 하여 양국 간 외교 마찰이 일었다. 그러자 대한민국 국민은 이들의 망언을 규탄하고 일본상품 불매운동까지 벌이기에 이르렀다.

　대한민국은 일본에 대하여 단 한 번도 사실에서 벗어난 주장을 한 적이 없다. 하지만 일본은 우리의 호의를 왜곡하고 선의를 이용하여 독도 영유권을 주장하는 도구로 활용했다. 자라나는 학생들에게 거짓을 가르치고, 국제사회에서 독도와 동해를 지우려 로비를 벌이고 있다. 대한민국의 역사를 부정하고 왜곡하여 자신들의 역사 속으로 넣으려는 술책을 여전히 펼치는 일본은 진정한 반성과 사과를 바탕으로 평화로운 미래로 나아가는 길을 찾아야 한다.

그런데도 우리 정부는 일본과의 관계개선과 과거청산을 노력해 1998년 10월 한일 정상이 '21세기의 새로운 한일 파트너십 공동선언김대중·오부치 선언'을 발표했다.

"일본이 과거 한국과 한국민을 식민지배하며 다대한 손해와 고통을 안겨줬다는 역사적 사실을 겸허히 인정하고, 이에 대해 통절한 반성과 마음으로부터 사죄를 표명한다."

'반성과 사죄', '화해와 협력'은 한일 관계가 미래지향적 관계로 나아가는 수레의 두 바퀴다. 오부치 게이조 총리의 사죄는 1995년 무라야마 전 총리의 담화에 한 발 더 나아간 것이며, 양국 공동 '문서'로 했다는 점에서 의미가 크다.

2006년 일본이 독도 부근의 해양을 조사하겠다고 하자 노무현 전 대통령은 "한국의 배타적경제수역의 시점은 울릉도가 아닌 독도"라며 강경한 입장을 표했다. 이처럼 우리 역사와 대한민국 정부는 단 한 번도 독도를 우리의 영토주권에서 배제한 적이 없다. 그리고 일본에게 이해를 구하거나 양보하지도 않았다. 분쟁이 있는 것처럼, 이해관계가 얽혀 있는 것처럼 만들려는 일본의 야욕 앞에 우리는 영토주권 수호에 최선을 다했고, 지금도 당당히 지키고 있다.

대한민국 정부는 한일 관계개선을 위해 적극적으로 조처하고 노력해 왔다. 그 과정에서 일본 역대 내각이 사과한 사실을 부인하지 않는다. 그런데도 우리 국민은 일본이 '진정한 사과'를 하지 않았다고 여긴다. 일본 총리나 내각의 고위급 인사들이 사과하고 이를 부정하는 망언을 했기 때문이다. 일본이 50차례 넘게 사과했다면, 50차례 넘게 사과를 무색하게 하는 망언을 쏟아냈다. 마치 '사과 후 망언'이라는 법칙으로 대한민국 국민을 우롱하는 듯하다.

하지만 일본의 역대 내각은 자신들이 일삼은 '사과와 망언'의 법칙을 무시하고 그동안 충분히 사과했으나 한국 국민이 이를 받아들이지 않고 있다고 주장한다. 대표적 인물이 아베 신조 전 총리다. 그는 2015년 일본군'위안부' 합의 이후에 "더는 사과할 수 없다"라고 말했다. 도리어 한국을 향해 "골대를 옮기면 안 된다"라고 비난했다. 아무리 국내 정치와 정권 유지 때문이라고 하더라도 함께 살아가야 하는 지구촌의 일원으로 세상을 속이며 살 수 없다는 것을 알아야 한다. 일본의 어린이들과 미래 세대를 향해 올바른 역사와 사실을 전하는 일이 일

제가 불리고 싶은 이름은 단 하나
바로 독도입니다

독도 | SBS 3·1절 특집 〈내 이름은 독도입니다〉의 마지막 장면

본의 미래를 열어가는 시작이 될 것이다.

한반도 동쪽 끝에서 찬란한 태양을 맞이하는 독도는 우리의 아픈 역사를 간직한 대한민국 영토주권의 상징이다. 일본을 제외한 전 세계의 어떤 나라도 독도가 대한민국의 땅임을 부정하지 않는다. 오롯이 대한민국의 영토로 인정한다. 러일전쟁 승리를 통해 열강의 대열에 올랐던 과거의 망상을 잊지 못하는 일본의 획책을 묵묵히 이겨낸 독도. 우리 가슴속에 늘 머물러 있는 독도는 언제나 우리를 반겨주고 안아주는 어머니의 품 같은 따뜻한 마음이 담긴 우리 땅이다.

한 편의 다큐멘터리를 제작하기 위해 여러 나라를 뛰어다니고, 역사적 사실을 찾아 밤을 새우는 게 일상이 되었다. 독도가 왜 중요한지 잘 모르던 시절에는 "독도는 우리 땅이지, 그런데 그게 나랑 무슨 상관인데"라는 생각을 가졌다. 부끄럽고 창피한 일이지만 아마 상당히 많은 국민이 나와 비슷하게 생각하고 있을 것이다.

독도를 처음 만나고 미안해했던 기억이 난다. 우리 땅이라는 생각만 했지 왜 우리 땅인지, 왜 우리가 지켜야 하는지 전혀 몰랐지만 이제는 왜 중요한지, 왜 지켜야 하는지 만나는 사람들에게 설명하고 이야기한다. "역사를 잊은 민족에게 미래는 없다"라는 말처럼 우리 역사는 아프고 고통스럽지만 기억해야 하며, 다시는 그런 아픔을 겪지 않아야 한다. 우리 후손에게 전해 줄 자랑스러운 대한민국과 독도를 평화롭게 만들어야 하는 이유이다.

찾아보기

동북아역사재단 교양총서 30

내 이름은 독도입니다

제1판 1쇄 발행일 2023년 11월 30일

지은이 유동아
발행인 이영호
발행처 동북아역사재단

출판등록 제312-2004-050호(2004년 10월 18일)
주소 서울시 서대문구 통일로 81 NH농협생명빌딩
전화 02-2012-6065
팩스 02-2012-6186
홈페이지 www.nahf.or.kr
제작·인쇄 청아출판사

ISBN 979-11-7161-010-5 04910
        978-89-6187-406-9 (세트)